Math Power

Simple Solutions for
Mastering Math

RODEL
FOUNDATION
OF ARIZONA

Math Power: Simple Solutions for Mastering Math

Books may be purchased in quantity and/or special sales by contacting
Rodel:

> 6720 N. Scottsdale Rd. Suite 310
> Scottsdale AZ 85253
> 480-367-2920
> www.rodelaz.org

ISBN: 978-0-9961865-2-0

Second edition.

Manufactured in Canada.

www.rodelaz.org

Huge Thanks

To the generosity of the Helios Education Foundation for
turning the idea for a family math guide into a reality.
They really want you and your student to learn to love math!

Education Foundation

Helios Education Foundation is dedicated to creating opportunities for
individuals in Arizona and Florida to succeed in postsecondary education.
Since inception in 2004, the Foundation has invested millions of dollars in
education-related programs and initiatives across both states.

Hello Problem Solver!

This is a math book, but don't be scared and don't slam it shut. We know what you're thinking, "I can't do this; I'm just not good at math!" **All of us can be good at math**; sometimes it just takes more effort to learn than other things.

So don't be hard on yourself, and remember to **stay positive when talking to your children about math**. If they hear you say that math is hard, or that you can't do math, they're probably going to think the same thing about themselves. Math and problem-solving skills are increasingly important for lifelong success, and students (and families) who put in the effort during the primary grades will be ready to meet the challenges of the future.

Today, children are learning math in a new way. There is an increased focus on students understanding why and how math works, rather than just racing to find the right answer. **This book is intended to help you help them.**

Some of the descriptions may look different from the way you learned math, but don't worry! The explanations are written in plain English (for Spanish, flip your book over!) and common math concepts are defined simply.

Remember, the most important thing you can do to help your children with math is to teach them that the challenges of math are just like the challenges of life: the more they practice, the better they'll be. **Who knows? Maybe you and your children will end up loving math together!**

How to Use this Book

This is not the kind of book you read cover-to-cover, so let's take a minute to show you how this guide is put together!

There are 16 color-coded chapters that can be used to quickly locate a topic, and you can jump around to find just what you need to know. Chapters begin with basic topics and go into more detail as you move toward the end. On the next page, you'll see a list with all of the different math topics covered in this book. **Look for the matching color on the edge of the page to go directly to the chapter.**

There are also two additional tools at the back of the English section of this book to help you locate specific math problems, the **Standards Index** and the **Topic Index**.

Standards Index

If you see a strange code next to a problem that looks like this: **4.NBT.B.5**, the first number is most important because it represents the grade level. The rest of the code is used by teachers to figure out which problems are alike. These are called "standards" and may be looked up in the **Standards Index** at the back of this guide. The Standards Index is sorted by grade level, Kindergarten through 6th Grade.

Topic Index

If you are looking for a word or phrase that is not easily found in the chapters, you can look it up in the **Topic Index** at the back of this guide. Let's say you see a problem asking you to draw a number line, but you have no idea what a number line is. Just look up "number line" in the Topic Index and you will find the pages that show examples. The Topic Index is sorted A-Z.

Now that you have a feel for the guide, **it's time to grab a pencil and help your student become a math problem solver!**

Math Topics

Whole Number & Decimal Place Value

Kids come to school with a natural sense of quantities and numbers, but they need instruction to understand our number system. During the primary grades, the foundation for the entire number system is built by developing an understanding of place value.

Ones & Tens on a Ten Frame...........................

A **ten frame** is an array (group) of squares that can be easily used to visualize numbers between 0 and 10, and how numbers can be combined or broken apart.

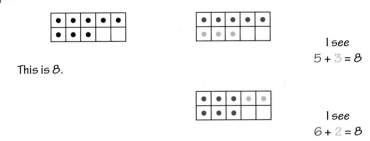

This is 8.

I see
5 + 3 = 8

I see
6 + 2 = 8

Unitizing is understanding that the number "ten" can be thought of as both 1 group of ten and 10 individual ones.

34

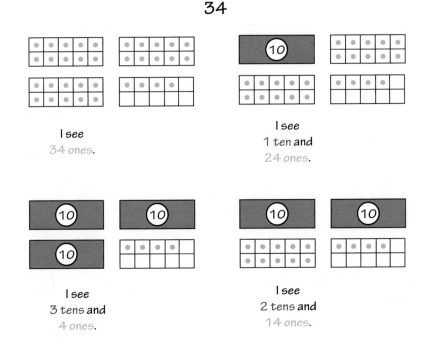

I see
34 ones.

I see
1 ten and
24 ones.

I see
3 tens and
4 ones.

I see
2 tens and
14 ones.

Whole Number Place Value..........................

Multi-digit numbers can be understood by looking closely at the **place value** of each digit.

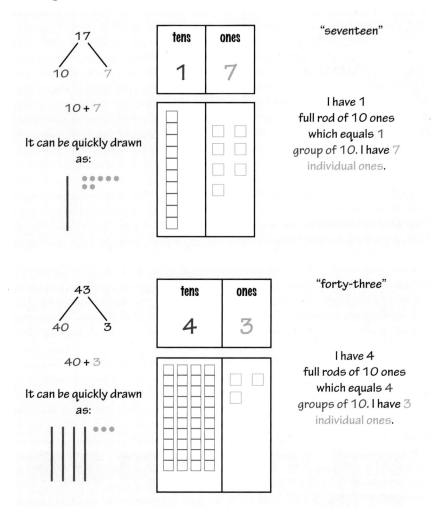

17

10   7

10 + 7

It can be quickly drawn as:

tens	ones
1	7

"seventeen"

I have 1
full rod of 10 ones
which equals 1
group of 10. I have 7
individual ones.

43

40   3

40 + 3

It can be quickly drawn as:

tens	ones
4	3

"forty-three"

I have 4
full rods of 10 ones
which equals 4
groups of 10. I have 3
individual ones.

It takes 10 ones to make 1 ten.
It takes 10 tens to make 1 hundred.
It takes 10 hundreds to make 1 thousand.

I see a 10 to 1
relationship. 10 like
units make 1 unit
of the next higher
place value.

3

Whole Number Place Value (continued)......

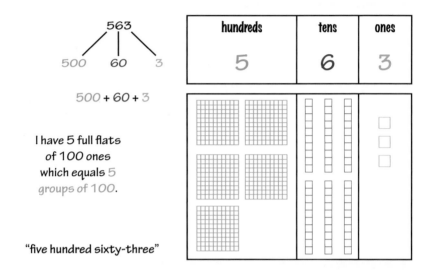

563

500   60   3

500 + 60 + 3

hundreds	tens	ones
5	6	3

I have 5 full flats
of 100 ones
which equals 5
groups of 100.

"five hundred sixty-three"

I have 7 full cubes
of 1,000 ones
which equals 7
groups of 1,000.

7,429

7,000   400   20   9

7,000 + 400 + 20 + 9

thousands	hundreds	tens	ones
7	4	2	9

"seven thousand four hundred twenty-nine"

Whole Number Place Value (continued)......

I have 4 large
rods of 10,000
ones which equals
4 groups of
10,000.

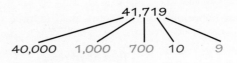

41,719

40,000   1,000   700   10   9

40,000 + 1,000 + 700 + 10 + 9

ten-thousands	thousands	hundreds	tens	ones
4	1	7	1	9

"forty-one thousand seven hundred nineteen"

_____ , _____   _____ _____ , _____   _____   _____

millions   hundred-thousands   ten-thousands   thousands   hundreds   tens   ones

Decimal Place Value...

You can use a **decimal** to represent a number that is less than one whole. Decimals are commonly used to represent money.

Think About Money

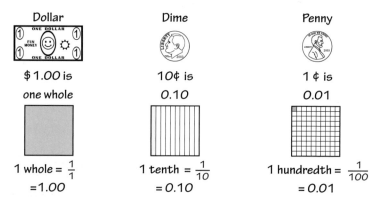

Dollar	Dime	Penny
$1.00 is	10¢ is	1¢ is
one whole	0.10	0.01
1 whole = $\frac{1}{1}$	1 tenth = $\frac{1}{10}$	1 hundredth = $\frac{1}{100}$
=1.00	= 0.10	= 0.01

It takes 10 pennies to make 1 dime and 10 dimes to make 1 dollar.

So it takes 10 hundredths to make 1 tenth and 10 tenths to make 1 whole!

 The 10-to-1 relationship described with money works for all digits that are side-by-side in decimal place value as you move from right to left.

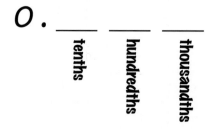

$0.$ ____ ____ ____

tenths   hundredths   thousandths

Decimal Place Value (continued).................

A decimal number can be understood by looking closely at the **place value** of each digit and seeing that it takes ten of the value to the right to make one of the value immediately to the left.

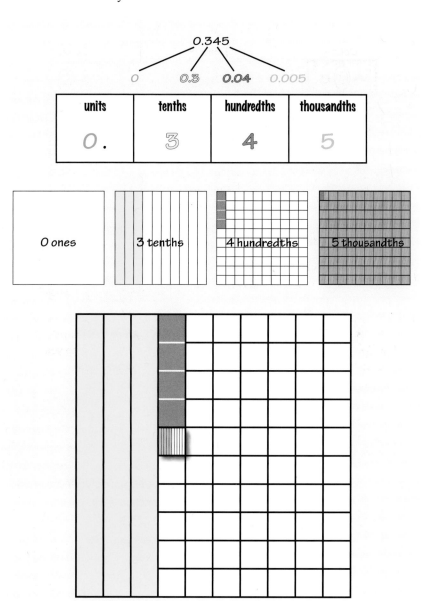

units	tenths	hundredths	thousandths
0.	3	4	5

Comparing Numbers...

Both large and small numbers can be compared using place value. The symbols > , = and < are used to depict the comparisons (see page 12 for more about math symbols).

Which is smaller, 13 or 18?

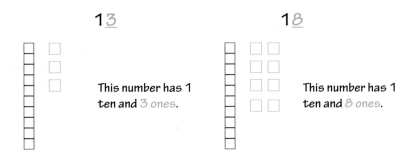

13   18

This number has 1 ten and 3 ones.

This number has 1 ten and 8 ones.

Both numbers have 1 ten, but 3 ones is less than 8 ones, so 13 is smaller than 18.

13 < 18

"13 is less than 18"

Which is larger, 845 or 799?

845   799

I'll start with the largest place value. Here it's the hundreds place.

This number has 8 groups of 100 or 8 hundreds.

This number has 7 groups of 100 or 7 hundreds.

Since 8 hundreds will always be more than 7 hundreds, 845 is larger than 799.

845 > 799

"845 is greater than 799"

Comparing Decimals...

Because the number system is uniform, students can use the same place value understanding for comparing larger numbers and smaller numbers.

Which is larger, 0.09 or 0.2?

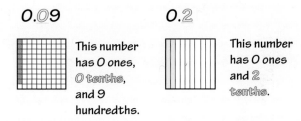

I'll start with the largest place value. Here it's the tenths place.

This number has 0 ones, 0 tenths, and 9 hundredths.

This number has 0 ones and 2 tenths.

Since 0 tenths is smaller than 2 tenths, 0.09 is smaller than 0.2.

0.09 < 0.2

"0.09 is less than 0.2"

Which is larger, 0.18 or 0.173?

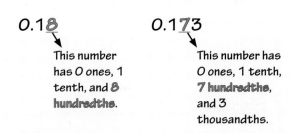

Since the values in the tenths place are the same, I'll compare the next largest place value, the hundredths place.

This number has 0 ones, 1 tenth, and 8 hundredths.

This number has 0 ones, 1 tenth, 7 hundredths, and 3 thousandths.

Both numbers have no ones and 1 tenth. Since 8 hundredths is more than 7 hundredths, 0.18 is larger than 0.173.

0.18 > 0.173

"0.18 is greater than 0.173"

Math Symbols & Properties

Math symbols are used to communicate in math, just as words are used to communicate in language. Each symbol conveys a special meaning and should be used precisely.

Math properties are rules that make math work. Many properties seem obvious and kids may discover and use these before they are instructed in them formally.

Commonly Used Math Symbols.....................

Math symbols are used to communicate in math, just as words are used to communicate in language. Each symbol conveys a special meaning and should be used precisely.

Symbol	Read As	Explanation / Example		
=	is equal to, is the same value or quantity as	$3 + 5 = 8$ 3 + 5 is the same value as 8		
≠	is NOT equal to, is NOT the same value or quantity as	$4 + 2 \neq 10$ 4 + 2 is NOT the same value as 10		
+	plus, add, addition	$12\frac{1}{2} + 8 = 20\frac{1}{2}$ $12\frac{1}{2}$ plus 8 is the same value as $20\frac{1}{2}$		
−	minus, take away, subtract	$9 - 4 = 5$ 9 minus 4 equals 5 9 take away 4 is the same as 5 subtract 4 from 9 and the value is 5		
$\times, \cdot, *, (\,)$	times, is multiplied by, groups of	$3.5 \times 7 = 24.5$ 3.5 groups of 7 is equal to 24.5	$14 (b) = 14b$ 14 times b is the same value as 14b	
$\div, /, \frac{x}{y}, \sqrt{}$	divided by, divided into groups	$6.8 \div 2 = 3.4$ 6.8 divided into 2 groups is the same quantity as 3.4	$\frac{3}{4}$ 3 divided by 4	
<	is less than	$19 < 20$ 19 is less than 20		
>	is greater than	$14.25 > 14.193$ 14.25 is greater than 14.193		
( )	the quantity of	$15 - (7+3) = 5$ 15 minus the quantity of 7 plus 3 (10) is the same value as 15 minus 10, or 5		

The Equal Sign..

The **equal sign** shows how the values or quantities on either side of the sign relate to each other. In addition to the word "equals," you can say "is the same value as" or "is the same quantity as" for the equal sign when you read an equation.

$$3 + 2 = 5$$
$$5 = 5$$

"Three plus two
is the same quantity as five."

$$6 = 7 - 1$$
$$6 = 6$$

"Six is the same value as
seven minus one."

$$15 + 9 = 12 + 12$$

"Fifteen plus nine is the same
quantity as twelve plus twelve."

$$4 + 1 = x + 3$$

"Four plus one is the same value
as some number plus three."

$$5 = 5$$
$$3 + 2 = 5$$
$$5 = 3 + 2$$
$$3 + 2 = 3 + 2$$
$$2 + 3 = 3 + 2 = 5$$
$$6 - 1 = 5$$

These values and quantities are all equal because the values are the same on either side of the equal sign. It doesn't matter which side of the equal sign the expression appears on.

Properties of Addition......................................

The **properties of addition** are math rules that make addition work. They are often discovered in primary grades and then used heavily in algebra.

Identity Property

$a + 0 = a$

When adding 0 to any number, the number does not change.

$5 + 0 = 5$

$0 + 14.93 = 14.93$

Commutative Property

$a + b = b + a$

When two numbers are added, the sum is the same regardless of the order of the addends.

$3 + 4 = 4 + 3$

$12\frac{1}{2} + 4\frac{3}{4} = 4\frac{3}{4} + 12\frac{1}{2}$

Associative Property

$(a + b) + c = a + (b + c)$

When three or more numbers are added, the sum is the same regardless of how the numbers are grouped.

$1 + (2 + 3) = (1 + 2) + 3$

Properties of Multiplication.............................

The **properties of multiplication** are math rules that make multiplication work. They are often discovered in intermediate grades and then used heavily in algebra.

Identity Property

$$a \times 1 = a$$

When multiplying any number (or variable) by 1, the product is the number (or variable) itself.

$$18 \times 1 = 18$$

$$1 \times 4\tfrac{1}{2} = 4\tfrac{1}{2}$$

Commutative Property

$$a \times b = b \times a$$

When two numbers are multiplied, the product is the same regardless of the order of the numbers.

$$17 \times 12 = 12 \times 17$$

$$14.29 \times 18 = 18 \times 14.29$$

Associative Property

$$(a \times b)\,c = a\,(b \times c)$$

When three or more numbers are multiplied, the product is the same regardless of how the numbers are grouped.

$$(5 \times 3)\,4 = 5\,(3 \times 4)$$

Distributive Property of Multiplication over Addition

$$a\,(b + c) = (a \times b) + (a \times c)$$

When multiplying a sum, you can multiply each addend separately and then add the products.

$$3(4 + 2) = (3 \times 4) + (3 \times 2)$$

$$5(y + 2) = 5y + (5 \times 2)$$

15

Order of Operations...

The **order of operations** ensures that we all follow the same steps when solving multi-step number problems.

The rules:

① First, do the operations in parentheses.

② Second, do the exponents.

③ Third, multiply and divide from left to right.

④ Fourth, add and subtract from left to right.

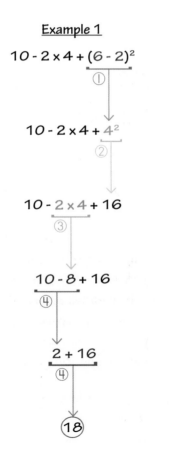

Example 1

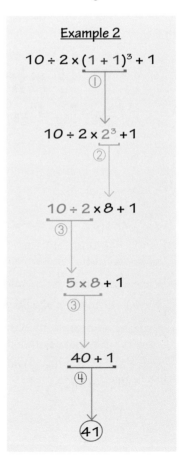

Example 2

Estimation (including rounding)

Estimation is not only a tool for math, it's a tool for life. We use estimation when we don't need an exact answer, just an answer that is "close enough." In life, we could use estimation as a quick way to know "about how much" change we should get back. In math, we could use estimation to know "about how much" an answer to a problem should be, so that we can decide if the answer is reasonable. Numbers, computations and measurements can all be estimated.

Estimation (including rounding)....................

To **estimate** is to find a number close to an exact amount. This is done by determining what **benchmark** or **friendly number** it is closest to. A **benchmark number** is a number that ends in either 0 or 5. A **friendly number** is a number that is easy to work with.

Benchmark Numbers

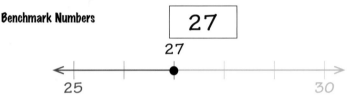

27 is 2 away from 25 and 3 away from 30.
So, 25 is the closest **benchmark number** to 27.

Rounding

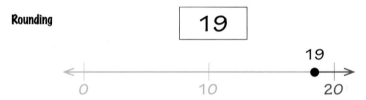

19 is only 1 away from 20 and 9 away from 10.
So, 19 should be **rounded** to 20.

 Estimating helps us to decide if our answers are reasonable.

I know that 12 is close to 10 and 19 is close to 20. I could **estimate** the answer to be about 10 + 20, which is 30.

Actual: 12 + 19 = 31

Estimate: 10 + 20 = 30

Rounding Large Numbers.................................

Numbers can be rounded to different place values. Sometimes it is necessary to round a number to a specific **place value.**

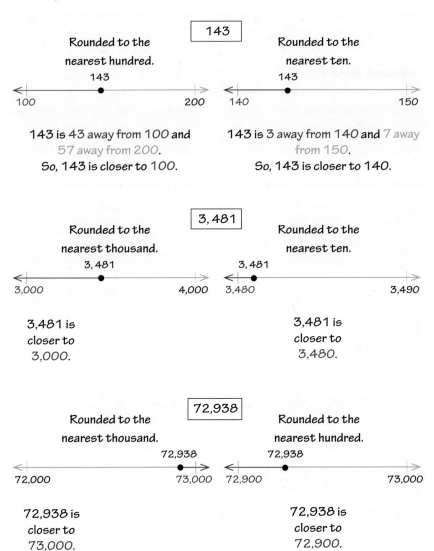

Rounded to the nearest hundred.

143

143 is 43 away from 100 and 57 away from 200.
So, 143 is closer to 100.

Rounded to the nearest ten.

143

143 is 3 away from 140 and 7 away from 150.
So, 143 is closer to 140.

3,481

Rounded to the nearest thousand.

3,481

3,481 is closer to 3,000.

Rounded to the nearest ten.

3,481

3,481 is closer to 3,480.

72,938

Rounded to the nearest thousand.

72,938

72,938 is closer to 73,000.

Rounded to the nearest hundred.

72,938

72,938 is closer to 72,900.

Rounding with Decimals.................................

Decimal numbers can be rounded to whole numbers or to a specific **decimal place value.**

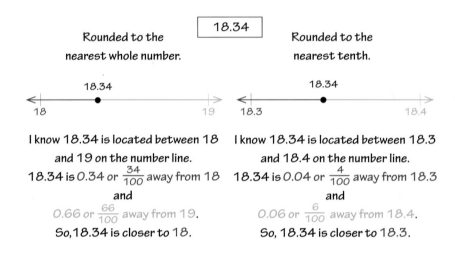

Rounded to the nearest whole number.

18.34

Rounded to the nearest tenth.

18.34

18.34

I know 18.34 is located between 18 and 19 on the number line.

18.34 is 0.34 or $\frac{34}{100}$ away from 18

and

0.66 or $\frac{66}{100}$ away from 19.

So, 18.34 is closer to 18.

I know 18.34 is located between 18.3 and 18.4 on the number line.

18.34 is 0.04 or $\frac{4}{100}$ away from 18.3

and

0.06 or $\frac{6}{100}$ away from 18.4.

So, 18.34 is closer to 18.3.

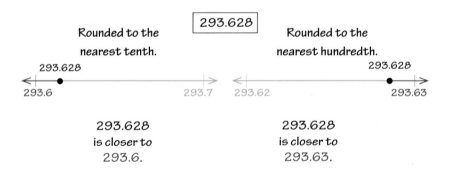

Rounded to the nearest tenth.

293.628

Rounded to the nearest hundredth.

293.628

is closer to

293.6.

293.628

is closer to

293.63.

Estimating with Benchmark Fractions.........

Like a benchmark number, a **benchmark fraction** is an easy fraction to work with, such as 0, $\frac{1}{4}$, $\frac{1}{2}$, $\frac{3}{4}$ and 1.

Estimating Using Logic

Rounded to the nearest benchmark fraction.

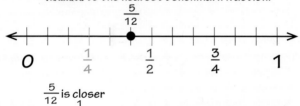

$\frac{5}{12}$ is closer to $\frac{1}{2}$.

Estimating Using Equivalent Fractions

Estimated to the nearest benchmark fraction.

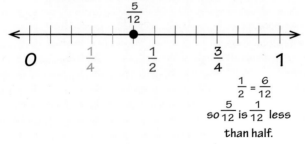

$\frac{1}{2} = \frac{6}{12}$

so $\frac{5}{12}$ is $\frac{1}{12}$ less than half.

Addition & Subtraction Using Place Value

Addition and subtraction are taught close together because they are opposites, meaning that they "undo" each other. This may be easy for adults to see, but young children usually don't see it this way in the beginning. This is why teachers often begin teaching addition and subtraction with word problems. Using word problems first helps kids make sense of the relationship between addition and subtraction, helping them solve problems with ease.

Addition..

Addition is the "putting together" of two groups of objects and finding how many in all. The numbers being added together are called **addends**.

$$14 + 29 = 43$$

Addends   Sum

$$18 = 2 + 9 + 7$$

Total   Addends

The answer to an addition problem is called
the **total** or **sum**.

Subtraction...

Subtraction is the "taking apart" or "taking from" a group of objects by removing one or more objects and finding the difference or "how many are left." Subtraction is also the comparison of two groups to find "how many more or less" are in each group.

$$8 - 3 = 5$$

Difference

$$15 = 29 - 14$$

Difference

The answer to a subtraction problem is
called the difference.

The Relationship Between Addition & Subtraction ....

Addition and subtraction are **inverse operations**. That means they are opposite operations. They undo each other.

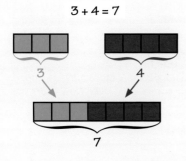

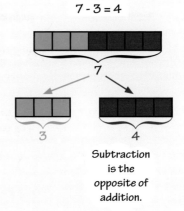

Subtraction is the opposite of addition.

Fact Families

$8 + 4 = 12$ $4 + 8 = 12$

$12 - 8 = 4$ $12 - 4 = 8$

Since addition and subtraction are opposites, I can use the addition facts I know to help me solve subtraction problems!

Triangular Fact Cards

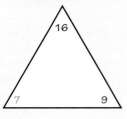

$9 + \boxed{7} = 16$ $16 - \boxed{7} = 9$

$\boxed{9} + 7 = 16$ $16 - \boxed{9} = 7$

I can study both addition and subtraction facts using a triangular fact card! I can cover up any number in the triangle and use my number facts to identify that missing number!

Writing Equations for Addition & Subtraction Word Problems..........................

A word problem can have the **variable** or unknown number in different places.

	Result Unknown	Start Unknown	Change Unknown
Add To	5 bunnies sat on the grass. **7 more bunnies hopped over.** How many bunnies are on the grass now?	Some bunnies were sitting on the grass. **7 more bunnies hopped over.** Then there were 12 bunnies. How many bunnies were on the grass before?	5 bunnies were sitting on the grass. **Some more bunnies hopped over.** Now there are 12 bunnies. How many bunnies hopped over?
	$5 + 7 = \square$	$\square + 7 = 12$	$5 + \square = 12$
Take From	12 apples were on the table. **I ate 5 apples.** How many apples are on the table now?	Some apples were on the table. **I ate 5 apples.** Then there were 7 apples. How many apples were there before?	12 apples were on the table. **I ate some of them, leaving 7 apples.** How many apples did I eat?
	$12 - 5 = \square$	$\square - 5 = 7$	$12 - \square = 7$

Writing Equations for Addition & Subtraction Word Problems (continued) ....

A word problem can sometimes have more than one **variable** or unknown number in different places.

Put Together/Take Apart

Total Unknown	Addend Unknown	Both Addends Unknown*
7 red balls and 5 green balls are in the toy box. How many balls total are in the toy box?	12 balls are in the toy box. **7 are red and the rest are green.** How many of the balls in the toy box are green?	Grandma has 7 flowers and 2 vases. How many flowers can she put in her white vase **and how many can she put in her green vase?**
$7 + 5 = \square$	$12 = 7 + \square$ $12 - 7 = \square$	$7 = \square + \square$ *See page 28 for more about word problems with multiple answers.

Compare

Difference Unknown	Bigger Unknown	Smaller Unknown
Collin has 5 carrots. **Brian has 7 carrots.** How many **more carrots** does Brian have than Collin?	Brian has 2 more carrots than Collin. Collin has 5 carrots. How many carrots does Brian have?	Brian has 2 more carrots than Collin. Brian has 7 carrots. How many carrots does Collin have?
$5 + \square = 7$ $7 - 5 = \square$	$2 + 5 = \square$ $5 + 2 = \square$	$7 - 2 = \square$ $2 + \square = 7$

Addition & Subtraction Word Problems......

There are four common types of addition and subtraction word problems.

Add To

6 birds sat on a fence. **3 more birds flew there.** How many birds are on the fence now?

$$6 + 3 = ?$$

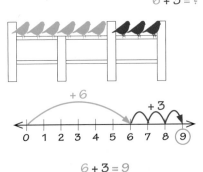

$$6 + 3 = 9$$

Take From

9 oranges were in a bowl. I ate some oranges. **Then there were 6 oranges.** How many oranges did I eat?

$$9 - ? = 6$$

$$9 - 3 = 6$$

Compare

Sam has 3 fewer crayons than Tim. Tim has 9 crayons. How many crayons does Sam have?

Tim	9	
Sam	6	3

$$9 - 3 = ? \qquad 3 + ? = 9$$
$$9 - 3 = 6 \qquad 3 + 6 = 9$$

Put Together / Take Apart

9 dinner rolls are on the table, **6 are wheat and the rest are white.** How many dinner rolls are white?

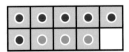

$$6 + ? = 9,$$
$$9 - 6 = ?$$

$$6 + 3 = 9 \qquad 9 - 6 = 3$$

 Sometimes problems have many possible answers.

Taylor has 9 marbles. Some are red and some are yellow. How many of each color marble could Taylor have?

$$9 = ? + ?$$

1 red + 8 yellow   8 red + 1 yellow

2 red + 7 yellow   7 red + 2 yellow

3 red + 6 yellow   6 red + 3 yellow

4 red + 5 yellow   5 red + 4 yellow

} These are all possible solutions because they each equal a total of 9 marbles.

Addition & Subtraction Two-Step Word Problems...

Two-step word problems take two separate actions to solve.

$9 + 5 + 7 =$ ☐ $9 - 5 + 7 =$ ☐

There were 9 blue balls and 5 red balls in the bag. **Kim put in 7 more balls.** How many balls are in the bag altogether?

There were 9 carrots on the plate. Susan ate 5 carrots. **Her mother put 7 more carrots on the plate.** How many carrots are there now?

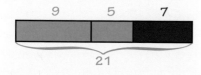

21

① $(9 + 5) + 7 =$ ☐
② $14 + 7 = 21$

① $(9 - 5) + 7 =$ ☐
② $4 + 7 = 11$

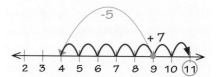

Maria has 9 apples. Corey has 4 fewer apples than Maria. How many apples do they have in all?

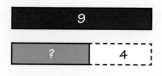

① $9 + (9 - 4) =$ ☐
② $9 + 5 = 14$

Corey must have 5 because $5 + 4 = 9$.

If Maria has 9 apples and Corey has 5 apples, they have a total of 14 apples.

Adding Whole Numbers...

There are many methods for **adding whole numbers.**

Counting On

7 + 2   Start with 7 and count on
          2 more.

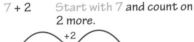

14 + 5   Start with 14 and count
           on 5 more.

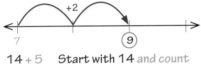

Making 10

If you know your combinations of 10,
you can combine addends and make
the problem friendly.

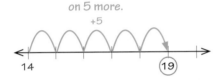

$= 8 + (2 + 4)$ $= (16 + 1) + 9$

$= (8 + 2) + 4$ $= 16 + (1 + 9)$

$= 10 + 4$ $= 16 + 10$

$= 14$ $= 26$

I'll decompose
(break apart)
the 6 into
2 + 4. That way
I can "make ten"
out of the 8 + 2!

Using Known Sums

$$6 + 7$$
$$= (6 + 6) + 1$$
$$= 12 + 1$$
$$= 13$$

I know 6 + 6 = 12, so
1 more would be 13.

$$4 + 11 + 8$$
$$= 4 + 3 + (8 + 8)$$
$$= 4 + 3 + 16$$
$$= 3 + (4 + 16)$$
$$= 3 + 20$$
$$= 23$$

I know
8 + 8 = 16, so
I decomposed
the 11 into
3 & 8.

I know 16 + 4 = 20,
so I rearranged the
numbers to make 20,
then added 3.

Combinations of 10

0 + 10	10 + 0
1 + 9	9 + 1
2 + 8	8 + 2
3 + 7	7 + 3
4 + 6	6 + 4
5 + 5	

Adding Larger Whole Numbers.....................

Numbers can be added by paying attention to **place value**.

Combining 100s, 10s & 1s

① First, add the hundreds.
② Second, add the tens.
③ Third, add the ones.
④ Fourth, add them all together.

$$
\begin{array}{r}
456 \\
+\ 167 \\
\end{array}
$$

④ $\begin{cases} 500 \\ 110 \\ +\ \ 13 \\ \hline 623 \end{cases}$
$\begin{array}{l} (400 + 100) & ① \\ (50 + 60) & ② \\ (6 + 7) & ③ \end{array}$

① First, add the thousands.
② Second, add the hundreds.
③ Third, add the tens.
④ Fourth, add the ones.
⑤ Fifth, add them all together.

$$
\begin{array}{r}
1{,}298 \\
+\ 973 \\
\end{array}
$$

⑤ $\begin{cases} 1{,}000 \\ 1{,}100 \\ 160 \\ +\ \ \ 11 \\ \hline 2{,}271 \end{cases}$
$\begin{array}{l} (1{,}000 + 0) & ① \\ (200 + 900) & ② \\ (90 + 70) & ③ \\ (8 + 3) & ④ \end{array}$

Traditional Method

Regroup 1 ten

$$
\begin{array}{r}
\overset{1}{1}8 \\
+\ 24 \\
\hline
42
\end{array}
$$

Since 8 + 4 = 12, write the 2 in the ones place & regroup 1 ten.

1 ten plus 1 ten plus 2 tens = 4 tens.

Remember to line up your **place values** and add from right to left when using the traditional method.

Traditional Method

Regroup 1 hundred
Regroup 1 ten

$$
\begin{array}{r}
\overset{1\ 1}{456} \\
+\ 167 \\
\hline
623
\end{array}
$$

Since 6 + 7 = 13, write the 3 in the ones place & regroup 1 ten.

1 hundred plus 4 hundreds plus 1 hundred = 6 hundreds.

1 ten plus 5 tens plus 6 tens = 12 tens. Write the 2 in the tens place & regroup 1 hundred.

Subtracting Using the Adding-On Method...

You can use addition to help you subtract both large and small numbers.

Adding On a Number Line

$24 - 19 = \boxed{}$ $19 + \boxed{} = 24$

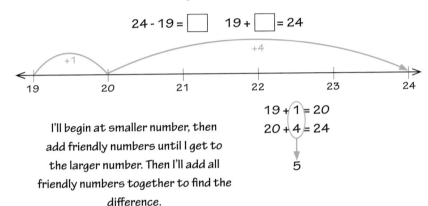

I'll begin at smaller number, then add friendly numbers until I get to the larger number. Then I'll add all friendly numbers together to find the difference.

$19 + 1 = 20$
$20 + 4 = 24$

5

Adding On

I'll begin at the smaller number and add friendly numbers until I get to the larger number. Then I'll add all friendly numbers together to find the difference.

$302 - 184 = \boxed{}$ $184 + \boxed{} = 302$

$184 + \boxed{6} = 190$
$190 + \boxed{10} = 200$
$200 + \boxed{100} = 300$
$300 + \boxed{2} = 302$

$= 118$

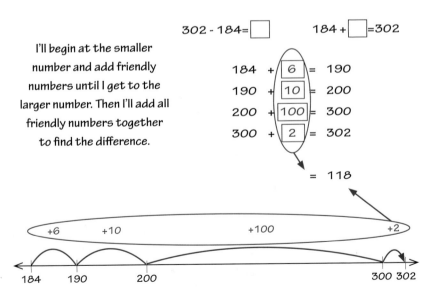

Subtracting Whole Numbers..........................

There are many methods for **subtracting whole numbers**. Some methods work better for smaller numbers and some work better for larger numbers.

Decomposing (visually)

Draw out starting number.

I have 2 tens and 4 ones, which is the same as 24.

Decompose 1 ten into 10 ones.

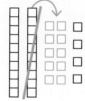

I now have 1 ten and 14 ones, which is the same as 24.

Subtract the second number.

I now have 0 tens and 5 ones, which is the same as 5.

Subtracting Back

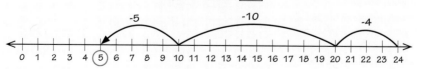

$$24 - 19 = 5$$

Subtracting Larger Whole Numbers............

2nd - 4th Grade

Decomposing (visually)

4th Grade +

Traditional U.S. Method

$$302 - 184 = \boxed{}$$

Draw out starting number.

I have 3 hundreds and 2 ones, which is the same as 302.

$$302 \\ -184$$

Decompose 1 hundred into 10 tens.

I now have 2 hundreds, 10 tens and 2 ones, which is the same as 302.

$$\overset{2\ 10}{\cancel{3}02} \\ -184$$

Decompose 1 ten into 10 ones.

I now have 2 hundreds, 9 tens and 12 ones, which is the same as 302.

$$\overset{2\ \ 9}{\cancel{3}\cancel{0}1 2} \\ -184$$

Subtract the second number.

I now have 1 hundred, 1 ten and 8 ones, which is the same as 118.

$$\overset{2\ \ 9\ 1}{\cancel{3}\cancel{0}2} \\ -184 \\ \overline{118}$$

34

Subtracting Using the Traditional Method..

Here are a few examples of subtraction using the **traditional U.S. method**. The traditional U.S. method begins to be used in fourth grade. Just like in addition, place values (columns) must be "lined up" so regrouping is easier.

No Regrouping Needed

```
  2,984
-   612
  2,372
```

- Subtract each column, starting with the ones and moving left.

Some Regrouping Needed

```
    3 16
  1 4̸ 6̸
-    38
   108
```

- Subtract the ones...not enough! You need more!
- Use 1 ten. Since 1 ten = 10 ones, change the tens to 3 and add 10 to the value in the ones place.
- Now subtract the ones.

Lots of Regrouping Needed

```
      13
   9 3̸ 13
  1̸,0̸4̸3̸
-   754
   289
```

- Subtract the ones--not enough! Use 1 ten, changing 4 tens to 3 tens and the 3 in the ones place to 13 ones. Now subtract.
- Subtract the tens--not enough! Oh my...there is a zero in the hundreds place. Move on to the thousands place. Since 1 thousand = 10 hundreds, use 1 hundred (leaving 9 hundred in the hundreds place), changing the 3 in the tens place to 13 tens. Now subtract.
- Subtract the hundreds.

 The U.S. traditional method for subtraction uses decomposition written in shorthand.

Adding & Subtracting Decimals.......................

Adding and subtracting decimals is a lot like adding and subtracting whole numbers. The decimals must be "lined up," just like place values. This helps keep the place values together (tens, ones, tenths, etc.).

Adding Decimals

5.213 + 3.3

- Write the numbers, one under the other with the decimal points lined up.
- Insert zeros so the numbers have the same amount of places.
- Add normally and bring the decimal point straight down into the answer.

Subtracting Decimals

5.213 - 3.3

- Write the numbers, one under the other with the decimal points lined up.
- Insert zeros so the numbers have the same amount of places.
- Subtract normally and bring the decimal point straight down into the answer.

Multiplication & Division Using Place Value

Multiplication and division are taught close together because, just like addition and subtraction, they are opposites, meaning that they "undo each other." This may be easy for adults to see, but young children usually don't see it this way in the beginning. This is why teachers often begin teaching multiplication and division with word problems. Using word problems first helps kids make sense of the relationship between multiplication and division, helping them solve problems with ease.

Multiplication..

Multiplication is basically the combining of equal sized groups to find how many in all. The numbers being multiplied are called **factors**.

$$5 \times 7 = 35$$

Factors   Product

We use many symbols to mean multiply.

$$35 = 5(7)$$

Product   Factors

The answer to a multiplication problem is called the product.

$$3 \times 2 = 6$$
$$3 \cdot 2 = 6$$
$$3(2) = 6$$
$$3 * 2 = 6$$

Division..

Division is basically the splitting of an object or set into equal parts or groups. The set is called the **dividend**, and the number of parts or groups is called the **divisor**. Division can be represented using a fraction or an equation.

 We use many symbols to mean divide.

$$12 \div 3 = 4$$

Dividend   Divisor   Quotient

$$12 \div 3 = 4$$

$$\frac{12}{3} = 4$$

$$3\overline{)12} = 4$$

$$12 / 3 = 4$$

Dividend ⟶ $\dfrac{12}{3}$ = 4 ⟵ Quotient
Divisor ⟶

4 ⟵ Quotient
Divisor ⟶ $3\overline{)12}$ ⟵ Dividend

The answer to a division problem is called the quotient.

The Relationship Between Multiplication & Division ....

Multiplication and division are **inverse operations**, that means they are opposite operations. They undo each other.

6 x 5 = 30

30 ÷ 6 = 5

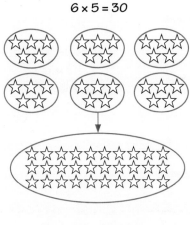

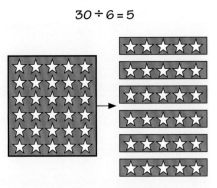

6 groups of 5 are 30.

30 split into 6 equal groups is
5 in each group.

Division is the
opposite of
multiplication.

Fact Families

A fact family is a group of all the related multiplication and division facts between three related numbers.

8 x 7 = 56   56 ÷ 8 = 7
7 x 8 = 56   56 ÷ 7 = 8

I can use the multiplication facts I know to help me solve division problems!

Triangle Facts

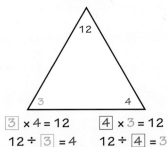

3 x 4 = 12   4 x 3 = 12
12 ÷ 3 = 4   12 ÷ 4 = 3

I can cover up any number in the triangle and use my multiplication or division facts to identify that missing number!

Writing Equations for Multiplication & Division Word Problems.................................

A multiplication or division word problem can have the **variable** or unknown number in different places.

Product Unknown

$$a \times b = \boxed{}$$

There are 7 bags with 3 plums in each bag. How many plums are there in all?

$$7 \times 3 = \boxed{}$$

Group Size Unknown

$$a \times \boxed{} = c$$
$$c \div a = \boxed{}$$

If 21 plums are shared equally in 7 bags, how many plums are in each bag?

$$7 \times \boxed{} = 21$$
$$21 \div 7 = \boxed{}$$

Number of Groups Unknown

$$\boxed{} \times b = c$$
$$c \div b = \boxed{}$$

If 21 plums are packed 3 to each bag, how many bags are needed?

$$\boxed{} \times 3 = 21$$
$$21 \div 3 = \boxed{}$$

Multiplication Word Problems......................

There are three major types of problems related to **multiplication**.

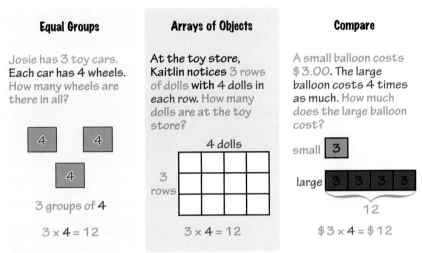

Equal Groups	Arrays of Objects	Compare
Josie has 3 toy cars. Each car has 4 wheels. How many wheels are there in all?	At the toy store, Kaitlin notices 3 rows of dolls with 4 dolls in each row. How many dolls are at the toy store?	A small balloon costs $3.00. The large balloon costs 4 times as much. How much does the large balloon cost?

3 groups of 4

3 × 4 = 12

3 × 4 = 12

$3 × 4 = $12

When you solve a "compare" problem in multiplication, you are using multiplication as a **scaling factor**.

Multiplication allows you to compute multiple copies of the same sized group without having to add repeatedly.

A store has 27 boxes of granola bars. There are 9 bars in each box. How many granola bars are there in all?

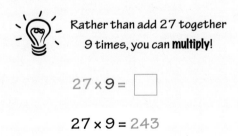

Rather than add 27 together 9 times, you can **multiply**!

$$27 \times 9 = \boxed{}$$

$$27 \times 9 = 243$$

Multiplication as a Scaling Factor...............

In upper grades, multiplication expressions can be interpreted in terms of a quantity and a **scaling factor**. A scaling factor is a number which scales, or multiplies some quantity. When scaling you are typically finding how many times larger or smaller one size is when compared to another.

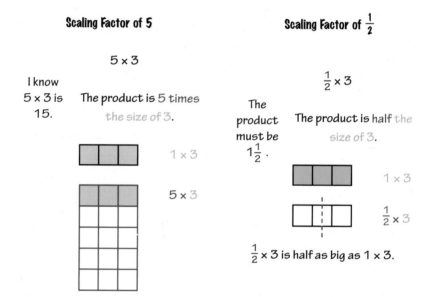

Scaling Factor of 5

5 x 3

I know 5 x 3 is 15.

The product is 5 times the size of 3.

1 x 3

5 x 3

5 x 3 is 5 times bigger than 1 x 3.

Scaling Factor of $\frac{1}{2}$

$\frac{1}{2}$ x 3

The product must be $1\frac{1}{2}$.

The product is half the size of 3.

1 x 3

$\frac{1}{2}$ x 3

$\frac{1}{2}$ x 3 is half as big as 1 x 3.

Gary threw his ball 5 feet. Marie threw her ball three times farther than Gary threw his ball.

How far did Marie throw her ball?

3 x 5 feet = 15 feet

5 feet

Gary's Ball   Marie's Ball

Marie threw her ball 15 feet.

Three friends are comparing their collections of toy cars. JD has 24 cars, Jose has 9 cars, and Bill has twice as many toy cars as both of his friends combined.

How many cars does Bill have?

Bill's Cars = 2 (24 + 9)

Twice as many   JD and Jose's cars

2 (33) = 66

Bill has 66 toy cars.

Multiplication Table...

A multiplication table can be used to help you quickly identify your multiplication facts.

×	1	2	3	4	5	6	7	8	9	10	11	12
1	1	2	3	4	5	6	7	8	9	10	11	12
2	2	4	6	8	10	12	14	16	18	20	22	24
3	3	6	9	12	15	18	21	24	27	30	33	36
4	4	8	12	16	20	24	28	32	36	40	44	48
5	5	10	15	20	25	30	35	40	45	50	55	60
6	6	12	18	24	30	36	42	48	54	60	66	72
7	7	14	21	28	35	42	49	56	63	70	77	84
8	8	16	24	32	40	48	56	64	72	80	88	96
9	9	18	27	36	45	54	63	72	81	90	99	108
10	10	20	30	40	50	60	70	80	90	100	110	120
11	11	22	33	44	55	66	77	88	99	110	121	132
12	12	24	36	48	60	72	84	96	108	120	132	144

To find the product of 7 x 8, you can
- go to row seven and over to column eight
- go to row eight and over to column seven

Since 8 x 7 = 7 x 8 both products are 56.

Try it with another fact: 6 x 4
- row six, column four

  6 x 4 = 24
- row four, column six

  4 x 6 = 24

 You can use the multiplication table to notice patterns. For example, all multiples of 4 are even and all multiples of 10 end in 0.

Single-Digit Multiplication Strategies...........

There are many different strategies for **multiplication**.

$$3 \times 7$$

Skip Counting

Count by 3:
3, 6, 9, 12, 15, 18, (21)

I'll count by 3, 7 times.

Count by 7:
7, 14, (21)

I'll count by 7, 3 times.

Arrays

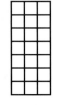

3 columns of 7 = 21

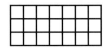

3 rows of 7 = 21

Equal Groups

3 groups of 7 is the same as 21.

Area Model

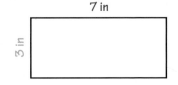

3 in x 7 in = 21 in²

Decomposition/Distributive Property

$3 \times 5 =$ 15

$3 \times 2 =$ 6

$3 \times 7 =$ 21

I can decompose the 7 into 5 & 2.

Then I can multiply 3 x 5 and 3 x 2.

Then I can add the products, 15 + 6.

Multiplying by Multiples of Ten.....................

When **multiplying numbers by multiples of ten**, you will see an example of the **associative property** of multiplication.

The **associative property** states that changing the grouping of factors does not change the product.

3 x 50 = 3 groups of 5 tens

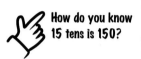
How do you know 15 tens is 150?

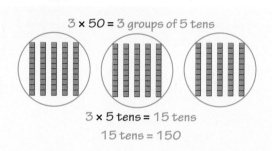

3 x 5 tens = 15 tens
15 tens = 150

Skip Counting by 50	Decomposing 15 tens	Decomposing 15 × 10/ Distributive Property
5 tens is 50	15 tens	$15 \times 10 = (10 + 5) \times 10$
10 tens is 100	10 tens 5 tens	$= (10 \times 10) + (5 \times 10)$
15 tens is 150	100 50	$= 100 + 50$
	150	$= 150$

 Shortcut: Calculate the product of the non-zero digits, then shift the product one place to the left to make the result 10 times as large.

$3 \times 50 \longrightarrow 3 \times 5 = 15 \qquad 3 \times 50 = 150$

hundreds	tens	ones
	1	5

hundreds	tens	ones
	1	5	0

After shifting one place to the left.

Multi-Digit Multiplication Strategies...........

There are many different strategies for **multiplication**. Here are a few:

$$13 \times 5 = \boxed{}$$

Skip Counting

Count by 13:
  13, 26, 39, 52, ⑥⑤

I'll count by 13, 5 times to get
  the product.

Count by 5:
  5, 10, 15, 20, 25, 30, 35,
  40, 45, 50, 55, 60, ⑥⑤

I'll count by 5, 13 times to get
  the product.

Arrays

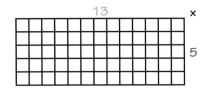

5 rows *of* 13 = 65

Area Model

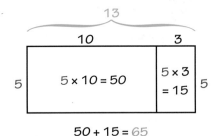

50 + 15 = 65

Decomposition/Distributive Property

10 × 5 = $\boxed{50}$

3 × 5 = $\boxed{15}$

13 × 5 = 65

I'll decompose 13 into 10
and 3, multiply each by 5,
then add together to find the
product.

Partial Product

$$\begin{array}{r} 13 \\ \times\,5 \\ \hline 15 \\ +\,50 \\ \hline 65 \end{array}$$

= 10 + 3

= 3 × 5

= 10 × 5

- Decompose 13 into 1 ten plus 3 ones.
- Multiply each part of the decomposed number by 5.
- Add together each partial product.
- Now you have the product (answer).

Multi-Digit Multiplication Strategies (continued)...

Decomposition/Distributive Property

$21 \times 34 = \boxed{}$

$20 + 1 \quad 30 + 4$

$(20 \times 30) + (20 \times 4) + (1 \times 30) + (1 \times 4)$

$600 + 80 + 30 + 4$

$680 + 34$

714

- Decompose (break apart) each number into tens and ones.
- Multiply each part of the first number by each part of the second number.
- Add together each partial product.
- Now you have the product (answer).

Working with even bigger numbers!

I use this same method to solve using partial product!

$439 \times 4 = \boxed{}$

$400 \quad 30 \quad 9$

$400 \times 4 = 1,600$
$30 \times 4 = 120$
$9 \times 4 = \underline{+36}$
$1,756$

Partial Product

$$
\begin{array}{rl}
21 & = (20 + 1) \\
\times 34 & = (30 + 4) \\
\hline
4 & = 4 \times 1 \\
80 & = 4 \times 20 \\
30 & = 30 \times 1 \\
+600 & = 30 \times 20 \\
\hline
714 &
\end{array}
$$

Area Model

$81 \times 615 = \boxed{}$

	600	10	5
80	80 × 600 = 48,000	80 × 10 = 800	80 × 5 = 400
1	1 × 600 = 600	1 × 10 = 10	1 × 5 = 5

$$
\begin{array}{r}
\overset{1}{48,000} \\
800 \\
400 \\
600 \\
10 \\
+5 \\
\hline
49,815
\end{array}
$$

Understanding the Traditional Multiplication Method...

To use the **traditional multiplication method** (or standard U.S. algorithm), multiply from right to left, regrouping as necessary.

$$\begin{array}{r} \overset{1}{24} \\ \times\, 34 \\ \hline 6 \end{array}$$

4 ones x 4 ones = 16 (1 ten and 6 ones). Record the 6 beneath the ones column and regroup 1 ten.

Traditional Method

$$\begin{array}{r} \overset{1\ 1}{24} \\ \times\, 34 \\ \hline \overset{1}{96} \\ +\,720 \\ \hline 816 \end{array}$$

$$\begin{array}{r} \overset{1}{24} \\ \times\, 34 \\ \hline 96 \end{array}$$

4 ones x 2 tens = 8 tens. Add the 1 ten that was regrouped and record the 9 tens.

$$\begin{array}{r} \overset{1\ 1}{24} \\ \times\, 34 \\ \hline 96 \\ 20 \end{array}$$

3 tens x 4 ones = 12 tens (1 hundred and 2 tens, or 20). Record the 20 beneath the first product and regroup the 1 hundred.

$$\begin{array}{r} \overset{3}{1,2\overset{2}{1}9} \\ \times\, 43 \\ \hline 3,657 \\ +\,48,760 \\ \hline 52,417 \end{array}$$

$$\begin{array}{r} \overset{1\ 1}{24} \\ \times\, 34 \\ \hline 96 \\ 720 \end{array}$$

3 tens x 2 tens = 6 hundreds. Add the 1 hundred that was regrouped and record the 7 hundreds.

$$\begin{array}{r} \overset{1\ 1}{24} \\ \times\, 34 \\ \hline \overset{1}{96} \\ +\,720 \\ \hline 816 \end{array}$$

6 ones + 0 ones = 6 ones. 9 tens + 2 tens = 11 tens (1 hundred and 1 ten). 7 hundreds + the 1 hundred that was regrouped = 8 hundreds.

Multiplying Decimals...................................

You **multiply decimals** the same way that you multiply whole numbers. The only thing that differs is determining where you place the decimal point in your product.

$$1.5 \times 3.49$$

Make an Estimate	Multiply	Place the Decimal
1.5 is close to 2, while 3.49 is close to 3. My product is about 2 x 3, which is 6.	Multiply as if these are whole numbers*: ²3.⁴49 × 1.5 ¹1,⁷45 + 3,490 5,235 *See page 48.	The estimate was 6, so it would make sense to put the decimal after the 5: 5.235

 Look! A helpful mathematical discovery!

Place the decimal point in the product by counting the number of places to the right of the decimal in each factor. The total tells you the number of places there will be to the right of the decimal in your product!

$$1.5 \quad \times \quad 3.49 \quad = \quad 5.235$$

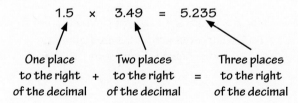

One place to the right of the decimal + Two places to the right of the decimal = Three places to the right of the decimal

Division Word Problems...

Division is the opposite of multiplication and you use multiplication every time you divide. When you divide, you are determining the number of equal shares or size of each share. There are three division problem types:

Equal Groups	Arrays of Objects	Compare

If 12 toys are divided equally **among 3 brothers,** how many toys will each brother receive?

If 12 apples are arranged into an array with 3 rows, how many apples will be in each row?

A red hat costs $12 and a blue hat costs $3. How many times more expensive is the red hat than the blue hat?

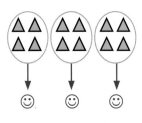

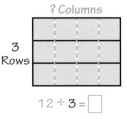

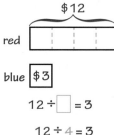

$12 \div 3 = 4$

$12 \div 3 = \Box$

$12 \div 3 = 4$

$12 \div \Box = 3$

$12 \div 4 = 3$

These are two members of
the same fact family!

$12 \div 3 = 4$ $4 \times 3 = 12$

$12 \div 4 = 3$ $3 \times 4 = 12$

Division Strategies...

There are a few different **division strategies**. Three common strategies are detailed below:

$$966 \div 7 = \boxed{}$$

Area Model : Finding Side Length

? hundreds + ? tens + ? ones

7	966

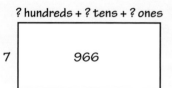

100   + 30 + 8 = 138

7	7 x 100 = 700	7 x 30 = 210	7 x 8 = 56
	966 - 700 266	266 - 210 56	56 -56 0

If I add up all the groups of 7 in 966, I'll get 100 + 30 + 8 or 138.

Since 7 x 100 is 700, I'll subtract 700 from my original number. Now I have 266.

How many 7s are in 266? I know there are at least 30 because 7 x 30 is 210. When I subtract 210 from 266, I'm left with 56, which I know is the product of 7 x 8.

Partial Quotient Method

```
7 ) 966
  - 700    7 x 100
    266
  - 210    7 x 30
     56
   - 56    7 x 8
      0
```
          138

Traditional Method

```
      138
7 ) 966
   -7↓
    26
   -21↓
     56
    -56
      0
```

51

Understanding the Partial Quotient Division Method..

The **partial quotient** division method uses repeated subtraction of friendly factors to find partial answers to the problem. Once you have reached zero, these partial products are added together to find the final answer.

How many groups of 12 are in 228?

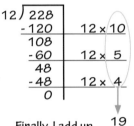

I know 12 x 10 is 120. When I subtract that from 228, I still have 108.

12 x 10 again would be too much, so I'll try 12 x 5, which is 60.

Now I'm left with 48. 12 x 4 is 48! When I subtract, I have nothing left.

Finally, I add up all the groups of 12, which is 10 + 5 + 4 or 19.

Partial Quotient Method

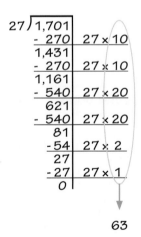

If I keep working with groups of 10, this will take forever! I'll try something bigger.

63

Understanding the Traditional Division Method...

The traditional U.S. division method is often called **long division**. Long division is a method for dividing that repeats the basic steps: ① Divide; ② Multiply; ③ Subtract; ④ Drop down the next digit. In long division, you work from left to right.

You've got 520 players. It takes 8 players to form a tug-of-war team. How many teams can you make?

$$
\begin{array}{r}
65 \\
8\overline{)520} \\
-48\downarrow \\
\overline{40} \\
-40 \\
\overline{0}
\end{array}
$$

- Start with the hundreds.

  8 x 100 = 800

  The dividend is only 500, so nothing will go "above" the 5 hundreds.

- Divide the tens.

  8 x 6 tens = 48 tens

  8 x 7 tens = 56 tens

  So, the quotient is between 60 and 70. Write a 6 in the tens place and 48 (tens) under the dividend. Subtract.

- Divide the ones.

  8 x 5 = 40

  Write a 5 in the ones place and 40 under the dividend. Subtract.

Traditional Method

$$
\begin{array}{r}
19 \\
12\overline{)228} \\
-12\downarrow \\
\overline{108} \\
-108 \\
\overline{0}
\end{array}
$$

Traditional Method

$$
\begin{array}{r}
63 \\
27\overline{)1{,}701} \\
-162\downarrow \\
\overline{81} \\
-81 \\
\overline{0}
\end{array}
$$

Remainders..

Sometimes when you are dividing you will discover that your **divisor** does not go evenly into your **dividend**. In this case, you may have extras or **remainders** left to deal with.

```
      32
   4 ) 129
     - 120
        9
      -  8
         1
```

This is my remainder.

In order to determine what to do with the **remainder**, you must consider the context of the problem.

Round-Up Remainder	**Fraction Remainder**	**Whole Number Remainder**
If there are 129 students and 4 fit into each car, how many cars are needed?	If there are 129 cookies to be shared equally among 4 classes, how many cookies would each class receive?	If there are 129 balloons and it takes 4 balloons to make a balloon bouquet, how many full bouquets can be made?
You wouldn't want that 1 extra **remainder** kid to stay behind, so you would need 33 cars.	This time that 1 extra **remainder** cookie could be split up so each class would get $32\frac{1}{4}$ cookies.	This time that 1 extra **remainder** balloon could just be set aside, so there would be 32 full balloon bouquets made.

Decimal Remainder

```
       0.3225
   4 ) 1.2900
     - 12
        09
      -  8
         10
        - 8
          20
        - 20
           0
```

If bananas cost $1.29 for 4 bananas and I purchase 1 banana, how much will it cost?

The store wouldn't want to lose the extra **remainder** of a penny, so it would cost $0.33 for one banana.

Dividing Decimals...

You **divide decimals** the same way you divide whole numbers. You only need to determine where to place the decimal point in your quotient.

Decimal ÷ Whole Number	Decimal ÷ Decimal or Whole Number ÷ Decimal

Decimal ÷ Whole Number

$$\begin{array}{r} 6.72 \\ 4\overline{\smash{)}26.88} \\ \underline{-24} \\ 28 \\ \underline{-28} \\ 08 \\ \underline{-8} \\ 0 \end{array}$$

Place the decimal point directly above the decimal in the dividend.

Decimal ÷ Decimal or Whole Number ÷ Decimal

You can change your division problem into one with only whole numbers by multiplying the divisor and dividend by a power of ten.

$$0.16\overline{\smash{)}24} = \frac{24}{0.16} \times \frac{100}{100} = \frac{2400}{16} = 150$$

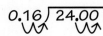

Then divide the same way you would divide whole numbers!

Written traditionally, it would look like this:

$$0.16\overline{\smash{)}24.00}$$

Move decimal point 2 places to show 0.16 x 100.

Move decimal point 2 places to show 24 x 100.

Then, divide as usual.

$$\begin{array}{r} 150 \\ 16\overline{\smash{)}2400} \\ \underline{-16}\downarrow \\ 80 \\ \underline{-80}\downarrow \\ 00 \\ \underline{-0} \\ 0 \end{array}$$

The solution to $0.16\overline{\smash{)}24}$ is the same as the solution to $16\overline{\smash{)}2400}$, which is 150.

Fractions as Division..

Fractions are another way to represent a division situation. When two whole numbers are divided, the answer can be a whole number, a mixed number, or a fraction. This example shows a **whole number** answer.

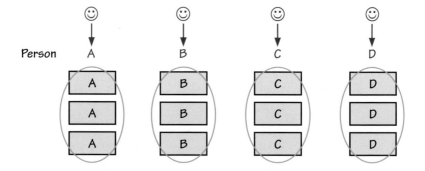

$$12 \div 4 = \frac{12}{4} = 3$$

How to share 12 brownies equally among 4 people.

Each person gets 3 pieces. Since a whole brownie is 1 piece, each person gets $\frac{3}{1}$ or 3 brownies.

Fractions as Division (continued)..................

When two whole numbers are divided, the answer can be a **mixed number**.

$$5 \div 3 = \frac{5}{3} = 1\frac{2}{3}$$

How to share 5 whole brownies, **cut into 3 pieces, equally among 3 people.**

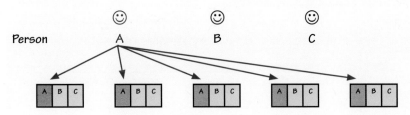

Each person gets 5 pieces. Since a whole brownie is 3 pieces, each person gets $\frac{5}{3}$ brownies or $1\frac{2}{3}$ brownies.

When two whole numbers are divided, the answer can be a **fraction**.

$$5 \div 6 = \frac{5}{6}$$

How to share 5 whole brownies, **cut into 6 pieces, equally among 6 people.**

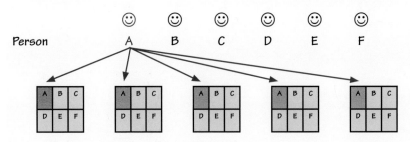

Each person gets 5 pieces. Since a whole brownie is 6 pieces, each person gets $\frac{5}{6}$ brownies.

Two-Step Word Problems (+ - × ÷)..............

Two-step word problems can require any two of the basic operations
(+, -, ×, ÷) to solve the problem. You can use the **order of operations** (see page
16) to know which operation to do first.

Sam is 2 years older than 3 times
Katie's age. Katie is 5 years old. How
old is Sam?

$$(3 \times 5) + 2 = \boxed{}$$

Step 1: $(3 \times 5) + 2 = \boxed{}$

Step 2: $15 + 2 = \boxed{17}$

Sam is 17 years old.

331 students went on a field trip.
Six buses were filled and 7 students
went in cars. How many students
were on each bus?

$$\frac{331 - 7}{6} = \boxed{}$$

Step 1: $\dfrac{331 - 7}{6} = \boxed{}$

Step 2: $324 \div 6 = \boxed{54}$

There were 54 students on each bus.

Alyiah had $ 24 to spend on 7
identical pens. After buying them,
she still had $ 10. How much did
each pen cost?

$$(\$ 24 - \$ 10) \div 7 = \boxed{}$$

Step 1: $(\$ 24 - \$ 10) \div 7 = \boxed{}$

Step 2: $\$ 14 \div 7 = \boxed{\$ 2}$

Each pen cost $ 2.

Kim bought a magazine for $ 5 and 4
balloons. She spent a total of $ 25.
How much did each balloon cost?

$$\$ 5 + (4 \cdot \boxed{}) = \$ 25$$

Step 1:

$\$ 5 - \$ 5 + (4 \cdot \boxed{}) = \$ 25 - \$ 5$

$0 + (4 \cdot \boxed{}) = \$ 20$

Step 2:

$4 \cdot \boxed{} \div 4 = \$ 20 \div 4$

$\boxed{} = \$ 5$

Each balloon cost $ 5.

 Whatever you do to one side of an
equation, you must also do to the
other side!

Special Topics with Whole Numbers

Whole numbers have special traits that help kids see patterns. Numbers can be even or odd, prime or composite, or can form a perfect square. Kids can recognize these special traits and use them to solve problems with whole numbers.

As adults, we can ask our children what math they see that might help them solve the problem. The more kids talk about these special traits, the more they'll be able to use them to solve problems.

Odd & Even Numbers

An **even number** is any number that can make groups of 2 with no leftover units or can be made into an array 2 units high.

8 is
even

14 is
even

7

2

Even numbers are divisible by 2.

An **odd number** is any number that can not be made into an array 2 units high without a leftover unit. An odd number can be split up into partners or pairs, but will always have a leftover unit.

5 is
odd

2

5 and 11 are odd
because they both
have a leftover
unit.

11 is
odd

2

Odd numbers are <u>not</u> divisible by 2.

Even numbers end in a
2, 4, 6, 8 or 0.

Odd numbers end in a
1, 3, 5, 7 or 9.

Hundreds Chart ....

I can use a hundreds chart to explore lots of different math ideas and see number patterns.

1	2	3	4	5	6	7	8	9	10
11	12	13	14	15	16	17	18	19	20
21	22	23	24	25	26	27	28	29	30
31	32	33	34	35	36	37	38	39	40
41	42	43	44	45	46	47	48	49	50
51	52	53	54	55	56	57	58	59	60
61	62	63	64	65	66	67	68	69	70
71	72	73	74	75	76	77	78	79	80
81	82	83	84	85	86	87	88	89	90
91	92	93	94	95	96	97	98	99	100

An example is seeing that all of the even numbers
are shaded, while the odds are not.

This drawing shows the seats in a theater. Sam noticed a pattern in the seat numbers. The number of each seat is 10 more than the one below it. What number would be on the seat that is marked with an X?

			X						
41	42	43	44	45	46	47	48	49	50
31	32	33	34	35	36	37	38	39	40

10 more than
44 is 54, so the
seat number
must be 54!

Multiples & Common Multiples...................

A **multiple** is a number included when you skip-count by a certain amount. It is the result of multiplying a whole number by an integer (see page 70 for more about integers).

Positive Multiples of 12

$0 = 12 \times 0$

$12 = 12 \times 1$

$24 = 12 \times 2$

$36 = 12 \times 3$

$48 = 12 \times 4$

$60 = 12 \times 5$

$72 = 12 \times 6$

etc.

The positive **multiples** of 12 are:
0, 12, 24, 36, 48, 60, 72, ...
because they all are products of 12
times an integer.

Notice that 6 is not a multiple of 12 because you cannot multiply 12 by a whole number to get a product of 6.

When comparing numbers, it is often necessary to identify their **common multiples**.

Find the **common multiples** for 12 and 15.

Positive Multiples of 12:
0, 12, 24, 36, 48, 60, 72 ...

Positive Multiples of 15:
0, 15, 30, 45, 60, 75, 90 ...

The **least common multiple** of 12 and 15 is 60.

The smallest multiple (other than zero) that two numbers share is called their **least common multiple**.

Factors...

Factors are the whole numbers that are multiplied together to get a product. A number is divisible by each of its factors.

Factors of 12

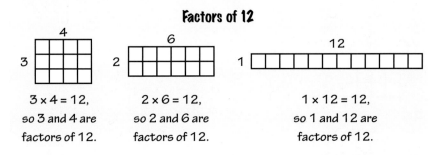

3 x 4 = 12,
so 3 and 4 are
factors of 12.

2 x 6 = 12,
so 2 and 6 are
factors of 12.

1 x 12 = 12,
so 1 and 12 are
factors of 12.

The **factors** of 12 are:
1, 2, 3, 4, 6 and 12,
because they all go into 12 evenly.

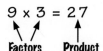

The answer to a multiplication problem is
called a **product**.

Common Factors...

When comparing numbers, it is often necessary to identify their **common factors**.

12   9

③ x 4   ③ x 3
2 x 6   9 x ①
① x 12

The **common factors** of 12 and 9 are 1 and 3, since these are the factors they share.

The **greatest common factor** of 12 and 9 is 3, since 3 is the largest of their shared factors.

Prime Numbers..

Almost all natural numbers (numbers you use when you count) can be described as **prime numbers** or **composite numbers**.

Prime numbers have exactly two factors: 1 and the number itself.

$$\underline{7}$$
1 × 7

$$\underline{13}$$
1 × 13

7 and
13 are
both **prime
numbers.**

Prime numbers have exactly two factors, so they can make only two arrays.

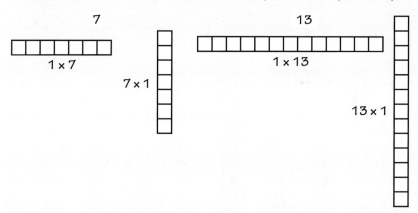

The **prime numbers** from 1 to 50 are circled below:

1, ②, ③, 4, ⑤, 6, ⑦, 8, 9, 10, ⑪, 12, ⑬, 14, 15,
16, ⑰, 18, ⑲, 20, 21, 22, ㉓, 24, 25, 26, 27,
28, ㉙, 30, ㉛, 32, 33, 34, 35, 36, �37, 38, 39,
40, ㊶, 42, ㊸, 44, 45, 46, ㊼, 48, 49, 50

Composite Numbers..

Most whole numbers are not **prime numbers**. Instead, they are **composite numbers**.

Composite numbers have more than two factors.

16		15
1 x 16		1 x 15
2 x 8	16 and 15	3 x 5
4 x 4	are examples	
	of **composite**	
	numbers.	

Composite numbers have three or more factors;
therefore, can make more than two arrays.

16

15

1 x 16

1 x 15

2 x 8

3 x 5

16 x 1

15 x 1

8 x 2

4 x 4

5 x 3

1 is a Special Case

1 is neither **prime** nor **composite** because it only has one unique factor and can
only make one array.

1

1 x 1

1 x 1

Exponents...

Exponents (powers) are a short way to write repeated multiplication of the same number.

Exponent ⟶

$$5^4 = 5 \times 5 \times 5 \times 5 = 625$$

Base Number

 The exponent tells you how many times the base number is being multiplied by itself.

4^2

$$4^2 = 4 \times 4 = 16$$

4^3

$$4^3 = 4 \times 4 \times 4 = 64$$

4^2 is read as "**4 squared**" or "4 to the second power" and forms a square that measures 4 units on each side.

4^3 is read as "**4 cubed**" or "4 to the third power" and forms a cube that measures 4 units on each edge.

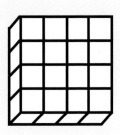

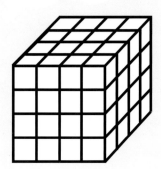

Negative & Positive Numbers (Integers)

Negative and positive numbers, including integers, are seen in daily life and in math. When the summer temperature reaches 110°, that is a positive number. When we purchase a book for $9.95, our bank account records a negative number. All numbers, except for zero, are negative or positive, but not all numbers are integers.

Kids sometimes struggle with the idea that a number can be less than zero, so sharing examples from everyday life can help them to understand this idea.

Integers..

Integers are a set of whole numbers and their opposites.

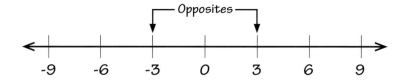

- -3 and 3 are opposites.
- Zero is its own opposite.

Positive & Negative Numbers.......................

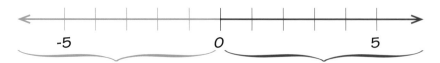

Negative Numbers are Less Than Zero	Positive Numbers are Greater Than Zero
Examples of Negative Numbers	Examples of Positive Numbers
$-9, -4\frac{1}{5}, -2.63$	$12, \pi, \$9.46$
-5	+23
• Molly owes her sister $5.	• Jane earned $23 babysitting last weekend.
-2	+10,000
• Seth's parents were married 2 years before he was born.	• The airplane reached its cruising altitude of 10,000 feet.

Comparing Integers...

You can use a **number line** to compare integers.

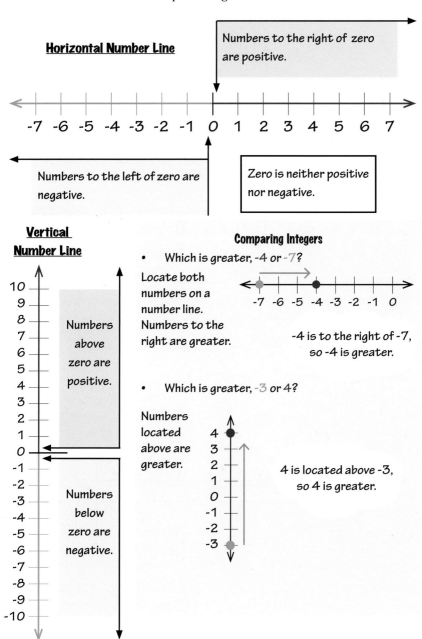

Horizontal Number Line

Numbers to the right of zero are positive.

-7 -6 -5 -4 -3 -2 -1 0 1 2 3 4 5 6 7

Numbers to the left of zero are negative.

Zero is neither positive nor negative.

Vertical Number Line

Numbers above zero are positive.

Numbers below zero are negative.

Comparing Integers

• Which is greater, -4 or -7?

Locate both numbers on a number line. Numbers to the right are greater.

-7 -6 -5 -4 -3 -2 -1 0

-4 is to the right of -7, so -4 is greater.

• Which is greater, -3 or 4?

Numbers located above are greater.

4 is located above -3, so 4 is greater.

Absolute Value...

Absolute value is the distance between a number and zero on a number line.

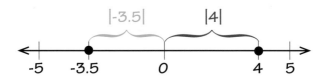

Absolute value is written using parallel vertical lines like this: | |

The **absolute value** of |4| is 4 because it is 4 units away from zero on the number line.

The **absolute value** of |-3.5| is 3.5 because it is 3.5 units away from zero on the number line.

Finding **absolute value** is useful in real life and math. If you want to find how far away you are from the nearest restroom, you don't care if the restroom is behind you or in front of you.

Distance to Restroom	Absolute Value			
-20 yards	|-20|	=	20 yd	This is the nearest restroom.
60 yards	|60|	=	60 yd	

Restroom   You are here   Restroom

-20   60

Fraction Basics

Fractions are introduced in the primary grades. Fraction instruction begins with kids dividing shapes into equal amounts or "fair shares." Though fraction work begins early, the traditional way of writing fractions doesn't begin until third grade.

Fractions have several meanings and can show more than the number of equal parts in a whole. Kids sometimes struggle with fractions, which is why a lot of time is spent developing the basic ideas before kids learn to combine them or break them apart.

Partitioned Shapes..

Before formal instruction in fractions begins, fraction ideas are developed using shapes and geometry.

Dividing a Circle into
Equal Shares (Parts)

This is a whole circle.

This circle is split into four equal pieces, called fourths or quarters.

Dividing a Rectangle into
Equal Shares (Parts)

This is a whole rectangle.

This rectangle is split into two equal pieces, called halves.

This rectangle is split into three equal pieces, called thirds.

This rectangle is also split into three equal pieces, even though they do not look the same!

 Students use the words "fourths," "halves" and "thirds," but typically don't use fraction notation ($\frac{1}{4}$, $\frac{1}{2}$, $\frac{1}{3}$, etc.) until third grade.

Fraction Representations..................................

A **fraction** is a number that represents part of a whole or part of a group. The **denominator** (bottom number) tells how many equal parts are in the whole or set. The **numerator** (top number) tells how many parts you are talking about.

$$\frac{5}{6}$$ numerator
denominator

Fractions can be used and named in different ways. Below you will find a few of them:

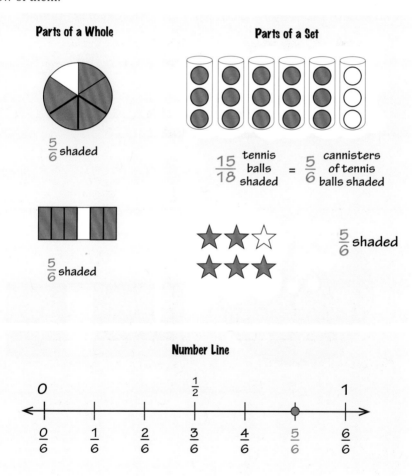

Parts of a Whole

$\frac{5}{6}$ shaded

$\frac{5}{6}$ shaded

Parts of a Set

$\frac{15}{18}$ tennis balls shaded $=$ $\frac{5}{6}$ cannisters of tennis balls shaded

$\frac{5}{6}$ shaded

Number Line

0        $\frac{1}{2}$ 1

$\frac{0}{6}$ $\frac{1}{6}$ $\frac{2}{6}$ $\frac{3}{6}$ $\frac{4}{6}$ $\frac{5}{6}$ $\frac{6}{6}$

Unit Fractions...

A **unit fraction** is a fraction with a numerator of 1. Some examples of unit fractions:

$$\underset{\text{denominator}}{\overset{\text{numerator}}{\underline{\hspace{2.2cm}}}} \quad \frac{1}{2}, \frac{1}{3}, \frac{1}{4}, \frac{1}{10}, \frac{1}{100}$$

Using Unit Fractions.................................

Fractions with a numerator greater than 1 can be thought of as "multiple copies" of the same fractional piece.

$$\frac{5}{6} \text{ is 5 copies of } \frac{1}{6}$$

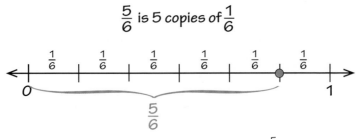

$\frac{5}{6}$ can be decomposed into 5 groups of $\frac{1}{6}$.

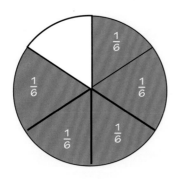

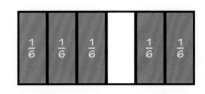

For all these examples:

$$\frac{1}{6} + \frac{1}{6} + \frac{1}{6} + \frac{1}{6} + \frac{1}{6} = \frac{5}{6}$$

76

Decomposing Fractions......................................

Fractions can be decomposed into the sum of their parts, just like whole numbers.

Decomposing a Whole Number	Decomposing a Fraction
13	$\frac{3}{4}$
10 | 3	$\frac{2}{4}$ | $\frac{1}{4}$
13 is the same value as 10 + 3 13 = 10 + 3	$\frac{3}{4}$ is the same value as $\frac{2}{4} + \frac{1}{4}$ $\frac{3}{4} = \frac{2}{4} + \frac{1}{4}$
5 | 5 | 3	$\frac{1}{4}$ | $\frac{1}{4}$ | $\frac{1}{4}$
13 is the same value as 5 + 5 + 3 13 = 5 + 5 + 3	$\frac{3}{4}$ is the same value as $\frac{1}{4} + \frac{1}{4} + \frac{1}{4}$ $\frac{3}{4} = \frac{1}{4} + \frac{1}{4} + \frac{1}{4}$

Fractions for Whole Numbers......................

All whole numbers can be written as **fractions**.

Fractions For One

A fraction is equivalent to one whole when the numerator (top number) and denominator (bottom number) are the same.

$$\frac{5}{5} = 1 \text{ whole} \rightarrow$$

$$\frac{4}{4} = 1 \text{ whole} \rightarrow$$

$$\frac{3}{3} = 1 \text{ whole} \rightarrow$$

Fractions For Other Whole Numbers

Any whole number can be written as a fraction when the numerator is greater than the denominator AND the numerator is a **multiple** of the denominator.

$$3 = \frac{3}{1}$$

A whole is one piece...
I have three whole pieces.

$$2 = \frac{6}{3} \quad 4 = \frac{4}{1} \quad 3 = \frac{9}{3} \quad 2 = \frac{2}{1}$$

Equivalent Fractions..

Equivalent fractions name the same amount. To find equivalent fractions, you multiply (or divide) by any fraction that equals 1.

Equivalent Fractions For One

$$1 = \frac{2}{2} = \frac{3}{3} = \frac{4}{4} = \frac{5}{5} = \frac{17}{17}$$

Any fraction with the same numerator and denominator equals 1!

Finding Equivalent Fractions by Multiplying

Find equivalent fractions for $\frac{1}{2}$

$$\frac{1}{2} \times \textcircled{1}\frac{3}{3} = \textcircled{2}\frac{1 \times 3}{2 \times 3} = \frac{3}{6}$$
③

$$\frac{1}{2} \times \textcircled{1}\frac{4}{4} = \textcircled{2}\frac{1 \times 4}{2 \times 4} = \frac{4}{8}$$
③

① Choose any fraction equal to 1.
② Multiply the first numerator by the second numerator.
③ Multiply the first denominator by the second denominator.

The amount doesn't change, just the size of the pieces!

Finding Equivalent Fractions by Dividing

Find equivalent fractions for $\frac{6}{12}$

$$\frac{6}{12} \div \textcircled{1}\frac{3}{3} = \textcircled{2}\frac{6 \div 3}{12 \div 3} = \frac{2}{4}$$
③

$$\frac{6}{12} \div \textcircled{1}\frac{2}{2} = \textcircled{2}\frac{6 \div 2}{12 \div 2} = \frac{3}{6}$$
③

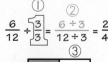

① Choose any fraction equal to 1.
② Divide the first numerator by the second numerator.
③ Divide the first denominator by the second denominator.

Comparing Fractions with the Same Denominator..

Fractions split into pieces of the same size can be compared directly.

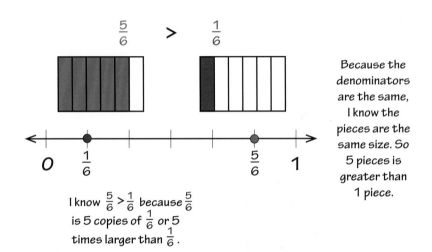

$$\frac{5}{6} \quad > \quad \frac{1}{6}$$

Because the denominators are the same, I know the pieces are the same size. So 5 pieces is greater than 1 piece.

I know $\frac{5}{6} > \frac{1}{6}$ because $\frac{5}{6}$ is 5 copies of $\frac{1}{6}$ or 5 times larger than $\frac{1}{6}$.

Comparing Fractions with the Same Numerator ....

Fractions split into the same number of pieces (even if the sizes of the pieces differ) can be compared directly.

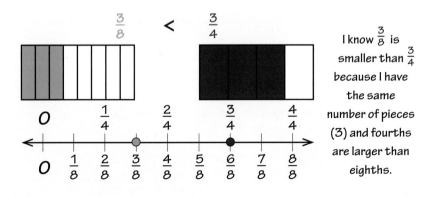

$$\frac{3}{8} \quad < \quad \frac{3}{4}$$

I know $\frac{3}{8}$ is smaller than $\frac{3}{4}$ because I have the same number of pieces (3) and fourths are larger than eighths.

Comparing Fractions with Different Denominators & Numerators..........................

You can compare fractions with different denominators by using **benchmark fractions** or **finding equivalent fractions.** Like a benchmark number, a **benchmark fraction** is an easy fraction to work with, like $0, \frac{1}{4}, \frac{1}{2}, \frac{3}{4}$ or 1.

Using Benchmark Fractions

Which is larger $\frac{3}{4}$ or $\frac{5}{6}$?

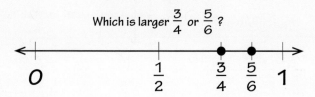

$\frac{5}{6}$ is larger than $\frac{3}{4}$ because $\frac{3}{4}$ is $\frac{1}{4}$ larger than $\frac{2}{4}$. $\frac{2}{4}$ is equivalent to $\frac{1}{2}$.

And $\frac{5}{6}$ is $\frac{2}{6}$ larger than $\frac{3}{6}$ or $\frac{1}{2}$ and only $\frac{1}{6}$ away from 1 whole or $\frac{6}{6}$.

Finding Equivalent Fractions

Which is larger $\frac{3}{4}$ or $\frac{5}{6}$?

$$\frac{3}{4} \times \boxed{\frac{3}{3}} = \frac{3 \times 3}{4 \times 3} = \frac{9}{12} \qquad \frac{5}{6} \times \boxed{\frac{2}{2}} = \frac{5 \times 2}{6 \times 2} = \frac{10}{12}$$

I'll multiply each fraction by a whole number fraction equal to 1 that will make my denominators the same, so it will be easier to compare them.

$$\frac{9}{12} < \frac{10}{12}$$

$$\frac{3}{4} < \frac{5}{6}$$

Finding Common Denominators.....................

To compare, add or subtract fractions with unlike denominators, you may want to rename the fractions so that they have **common denominators**.

Step 1

Find the **least common multiple*** for the **denominators**.

multiples of 3

$$\frac{2}{3} \rightarrow 0, 3, 6, 9, 12, 15$$

$$\frac{1}{2} \rightarrow 0, 2, 4, 6, 8, 10$$

multiples of 2

*See page 62 for more about least common multiples.

Step 2

Create equivalent fractions by multiplying by a fraction equal to 1 that will make both **denominators** equal to the **least common multiple**.

$$\frac{2}{3} \times \frac{2}{2} = \frac{4}{6}$$

I know that 3 x 2 = 6. So I'll multiply by $\frac{2}{2}$ to create an equivalent fraction.

$$\frac{1}{2} \times \frac{3}{3} = \frac{3}{6}$$

Now my denominator is 2. I'll multiply by $\frac{3}{3}$ to create an equivalent fraction.

Step 3

Use the fractions with **like denominators** to compare, add or subtract.

Compare: $\dfrac{4}{6} > \dfrac{3}{6}$ so $\dfrac{2}{3} > \dfrac{1}{2}$

Add: $\dfrac{4}{6} + \dfrac{3}{6} = \dfrac{7}{6} = 1\dfrac{1}{6}$ so $\dfrac{2}{3} + \dfrac{1}{2} = 1\dfrac{1}{6}$

Subtract: $\dfrac{4}{6} - \dfrac{3}{6} = \dfrac{1}{6}$ so $\dfrac{2}{3} - \dfrac{1}{2} = \dfrac{1}{6}$

Add, Subtract, Multiply & Divide Fractions

Students add, subtract, multiply and divide fractions by creating visual models along with equations. They often discover the general rules for working with fractions from these models.

Making visual models is important because the fractions will make more sense to the kids and they will be less likely to make errors if they can visualize the problem.

83

Adding & Subtracting Fractions...................

To add and subtract **fractions**, the **denominators** (bottom numbers) must be the same. Then add or subtract the **numerators** (top numbers).

With the Same Denominator

$$\frac{3}{8} + \frac{1}{8} = \frac{4}{8} \longrightarrow \text{simplify} \quad \frac{4}{8} \div \frac{4}{4} = \frac{1}{2}$$

Need help simplifying? See p. 79.

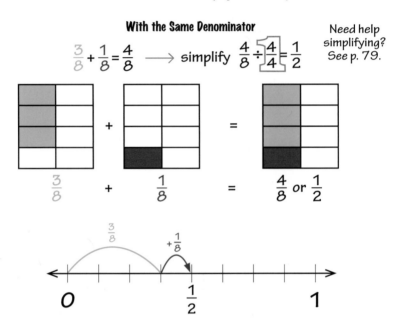

$$\frac{3}{8} \quad + \quad \frac{1}{8} \quad = \quad \frac{4}{8} \text{ or } \frac{1}{2}$$

With Different Denominators

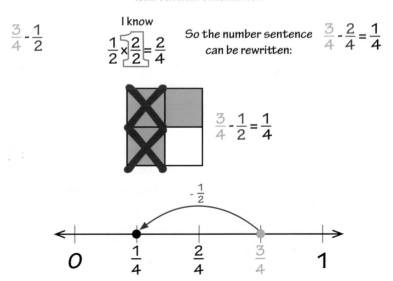

$$\frac{3}{4} - \frac{1}{2}$$

I know

$$\frac{1}{2} \times \frac{2}{2} = \frac{2}{4}$$

So the number sentence can be rewritten:

$$\frac{3}{4} - \frac{2}{4} = \frac{1}{4}$$

$$\frac{3}{4} - \frac{1}{2} = \frac{1}{4}$$

Adding & Subtracting Mixed Numbers........

When adding or subtracting **mixed numbers**, your strategy may depend on whether the two numbers share a common denominator.

With the Same Denominator

$$8\tfrac{4}{5} - 1\tfrac{3}{5}$$

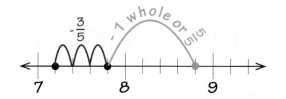

$8\tfrac{4}{5}$ take away 1 is $7\tfrac{4}{5}$. Subtract $\tfrac{3}{5}$ more and you get $7\tfrac{1}{5}$.

With Different Denominators

$$1\tfrac{2}{3} + 7\tfrac{1}{6}$$

$$1\tfrac{4}{6} + 7\tfrac{1}{6}$$

$$= 8\tfrac{5}{6}$$

Since $1\tfrac{2}{3} \times \tfrac{2}{2} = 1\tfrac{4}{6}$, you can rewrite the original problem.

Using Decomposition

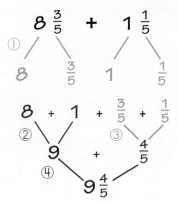

① Decompose (break apart) each number into a whole and a fraction.

② Add together each whole number.

③ Add together each fraction.

④ Add the whole number to the fraction to find the product.

85

Solving Addition & Subtraction Word Problems Involving Fractions.........................

I bought $2\frac{1}{2}$ gallons of paint. After painting my room, I still have $\frac{1}{4}$ of a gallon remaining. How much paint did I use?

$2\frac{1}{2} = 2\frac{2}{4}$

I know $\frac{1}{2}$ is the same as $\frac{2}{4}$.

$2\frac{2}{4} - \frac{1}{4} = 2\frac{1}{4}$ gallons

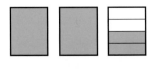

I used $2\frac{1}{4}$ gallons of paint.

My recipe calls for $\frac{2}{3}$ cups of white flour and $2\frac{1}{5}$ cups of wheat flour. How much flour do I need for my recipe?

$\frac{2}{3} \times \boxed{\frac{5}{5}} = \frac{10}{15}$

$\frac{1}{5} \times \boxed{\frac{3}{3}} = \frac{3}{15}$

$\frac{5}{5}$ is 1 whole, so it's like multiplying by 1.

$\frac{10}{15} + 2\frac{3}{15} = 2\frac{13}{15}$ cups

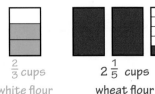

$\frac{2}{3}$ cups white flour

$2\frac{1}{5}$ cups wheat flour

I need a bit less than 3 cups of flour.

 Sometimes when solving word problems with fractions it is necessary to carefully consider the unit quantities. **This is a common student error.**

Bill had $\frac{2}{3}$ of a cup of juice. He drank $\frac{1}{2}$ of his juice. How much juice did Bill have left?

Bill has $\frac{2}{3}$ of a cup.

He drank $\frac{1}{2}$ of his juice. Bill has $\frac{1}{2}$ of $\frac{2}{3}$ or $\frac{1}{3}$ of the whole cup left.

This problem cannot be solved by subtracting $\frac{2}{3} - \frac{1}{2}$ because the $\frac{2}{3}$ refers to a cup of juice, and $\frac{1}{2}$ refers to the amount of juice Bill had and not to the whole cup of juice.

Solving Multiplication & Division Word Problems Involving Fractions ....

MULTIPLICATION

DIVISION

Equal Groups of Objects

Grandma's recipe for banana muffins calls for $\frac{3}{4}$ cup of oats. You are making $\frac{1}{2}$ of the recipe. How many cups of oats should you use?

$$\frac{1}{2} \cdot \frac{3}{4} = \boxed{}$$

$$\frac{1}{2} \cdot \frac{3}{4} = \frac{3}{8} \text{ cup}$$

Molly is following a lemonade recipe which calls for $2\frac{1}{2}$ cups of sugar. If she finds 10 cups of sugar in the pantry, how many batches of lemonade can she make?

$$10 \div 2\frac{1}{2} = \boxed{}$$

$$2\frac{1}{2} \times \boxed{} = 10$$

$$10 \div 2\frac{1}{2} = 4 \text{ batches}$$

Arrays of Objects

Fiona is arranging her stamp collection into rows. If 1 stamp is $\frac{3}{4}$ of an inch wide, how long will a row of 12 stamps be?

$$\frac{3}{4} \cdot 12 = \boxed{}$$

$$\frac{3}{4} \cdot 12 = 9 \text{ inches}$$

A small t-shirt requires $\frac{3}{4}$ yards of fabric. How many t-shirts can be made from 48 yards?

$$48 \div \frac{3}{4} = \boxed{}$$

$$\frac{3}{4} \cdot \boxed{} = 48$$

$$48 \div \frac{3}{4} = 64 \text{ t-shirts}$$

Compare

A father weighs $2\frac{1}{4}$ times more than his son. If the son weighs 60 pounds, how much does the father weigh?

$$60 \cdot 2\frac{1}{4} = \boxed{}$$

$$60 \cdot 2\frac{1}{4} = 135 \text{ pounds}$$

A new Razor scooter is on sale for $60.00. Its regular price is $90.00. What fraction of the regular price is the sale price?

$$60 \div 90 = \boxed{}$$

$$60 \div 90 = \frac{2}{3}$$

Multiplying Fractions by Whole Numbers...

When you **multiply** a whole number by a fraction that is less than 1, the **product** is less than the original whole number because you're only taking a part of it.

- "x" means "of" or "groups of"
- 3 x 4 means "3 groups of 4"
- $\frac{2}{3}$ x 15 means "$\frac{2}{3}$ of 15"

What is $\frac{2}{3}$ of 15? $\frac{2}{3} \times 15 = \boxed{}$

Picture Method

Barb has 15 apples and wants to share $\frac{2}{3}$ with her neighbor. How many will she give away?

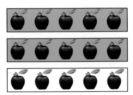

If I partition my apples into 3 equal groups, I've created thirds.

There are 5 apples in $\frac{1}{3}$ of 15 apples.

$$\frac{1}{3} \times 15 = 5$$

There are 10 apples in $\frac{2}{3}$ of 15 apples.

$$\frac{2}{3} \times 15 = 10$$

Barb will give away 10 apples.

Traditional Method

$$\frac{2}{3} \times 15 \overset{①}{=} \frac{2}{3} \times \frac{15}{1} \overset{②}{=} \frac{2 \times 15 \rightarrow 30}{3 \times 1 \rightarrow 3} \overset{④}{=} 10$$

③

① Write the whole number as a fraction over 1.
② Multiply the numerators (top), the result is your new numerator.
③ Multiply the denominators (bottom), the result is your new denominator.
④ Rename as a simpler equivalent fraction or whole number, if possible.

Multiplying Fractions by Fractions...............

When multiplying fractions, it is sometimes helpful to start with a visual representation.

$$\frac{2}{3} \times \frac{1}{2} \qquad \text{is the} \atop \text{same as} \qquad \frac{2}{3} \text{ of } \frac{1}{2}$$

Picture Method

Start with $\frac{1}{2}$ and partition that piece into thirds.

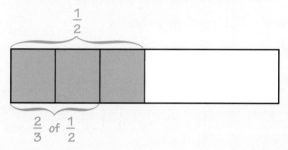

$$\frac{1}{2}$$

$$\frac{2}{3} \text{ of } \frac{1}{2}$$

$\frac{2}{3}$ of the half you started with is equal to 2 of 3 pieces in the half, which would fit into the whole $\frac{2}{3} \times \frac{1}{2} = \frac{2}{6}$.

Rename your fraction to a simpler equivalent fraction:

$$\frac{2}{6} \div \frac{2}{2} = \frac{1}{3}$$

Traditional Method

$$\frac{2}{3} \times \frac{1}{2} = \overset{①}{\underset{②}{\frac{2 \times 1}{3 \times 2}}} \overset{③}{\underset{}{\Longrightarrow \frac{2}{6}}} = \frac{1}{3}$$

① Multiply the numerators (top), the result is your new numerator.

② Multiply the denominators (bottom), the result is your new denominator.

③ Rename as a simpler equivalent fraction, if possible.

Multiplying Fractions with Mixed Numbers...

There are a few different strategies for **multiplying fractions** with **mixed numbers**. Below are three of them:

$$\frac{1}{2} \times 4\frac{2}{3} \quad \text{is the same as} \quad \frac{1}{2} \text{ of } 4\frac{2}{3}$$

Picture Method

Start with $4\frac{2}{3}$ and determine what half would be:

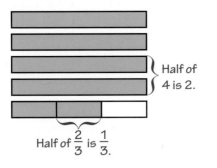

Half of 4 is 2.

Half of $\frac{2}{3}$ is $\frac{1}{3}$.

$$\frac{1}{2} \times 4\frac{2}{3} = 2\frac{1}{3}$$

Decomposition Method*

$$\frac{1}{2} \times 4\frac{2}{3}$$

$$\left(\frac{1}{2} \times 4\right) + \left(\frac{1}{2} \times \frac{2}{3}\right)$$

$$2 + \frac{2}{6}$$

$$= 2\frac{2}{6}$$

*See page 91 for steps.

Traditional Method

First, convert the mixed number into an improper fraction:

$$\frac{1}{2} \times 4\frac{2}{3}$$

$$\frac{1}{2} \times \left(\frac{12}{3} + \frac{2}{3}\right)$$

$$\frac{1}{2} \times \frac{14}{3}$$

$$\frac{1 \times 14}{2 \times 3} = \frac{14}{6}$$

Since I am working with thirds, one whole is $\frac{3}{3}$.

I have 4 wholes $\frac{3}{3} + \frac{3}{3} + \frac{3}{3} + \frac{3}{3}$ or $\frac{12}{3}$.

Then, rename your answer from an improper fraction back to a **mixed number**:

Simplify!

$$\frac{14}{6} = \frac{6}{6} + \frac{6}{6} + \frac{2}{6} = 2\frac{2}{6} = 2\frac{1}{3}$$

Fractions aren't always renamed to simpler equivalent fractions.

Multiplying Fractions by Fractions Using Decomposition...

You can multiply two fractions using decomposition, just as you would multiply two whole numbers. (see p. 47)

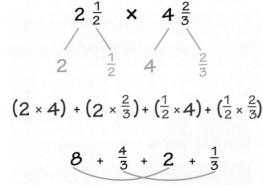

$$2\tfrac{1}{2} \times 4\tfrac{2}{3}$$

① Decompose (break apart) each number into a whole and a fraction.

$$\left(2 \times 4\right) + \left(2 \times \tfrac{2}{3}\right) + \left(\tfrac{1}{2} \times 4\right) + \left(\tfrac{1}{2} \times \tfrac{2}{3}\right)$$

$$8 + \tfrac{4}{3} + 2 + \tfrac{1}{3}$$

② Multiply each part of the first number by each part of the second number.

$$8 + 2 = 10 \qquad \tfrac{4}{3} + \tfrac{1}{3} = \tfrac{5}{3} \text{ or } 1\tfrac{2}{3}$$

③ Add together each partial product.

$$10 + 1\tfrac{2}{3} = 11\tfrac{2}{3}$$

④ Now you have the answer (product)!

Division with Fractions...................................

When you **divide fractions** you are determining how many times the second number (divisor) "fits into" the first number (dividend), just like when you divide whole numbers.

dividend ÷ divisor = quotient

Whole Number ÷ Whole Number

$$12 \div 3$$

Ask "How many groups of 3 are in 12?"

Picture Method

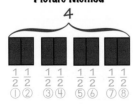

There are
(four)
groups of
3 in 12.

A doll's dress requires $\frac{1}{2}$ a yard of fabric. How many dresses can I make using 4 yards?

Whole Number ÷ Fraction

$$4 \div \frac{1}{2}$$

Ask "How many groups of $\frac{1}{2}$ are in 4?"

Picture Method

4

$$\frac{1}{2} \quad \frac{1}{2} \quad \frac{1}{2} \quad \frac{1}{2} \quad \frac{1}{2} \quad \frac{1}{2} \quad \frac{1}{2} \quad \frac{1}{2}$$
① ② ③ ④ ⑤ ⑥ ⑦ ⑧

There are
(eight)
groups of
$\frac{1}{2}$ in 4.

Common Denominator Method

$$4 \div \frac{1}{2} = \frac{8}{2} \div \frac{1}{2} = \frac{8 \div 1}{2 \div 2} = \frac{8}{1} = 8$$

I can rename 4 as $\frac{8}{2}$ by multiplying $4 \times \frac{2}{2}$ so that my fractions have a common denominator. Then, I divide.

Division with Fractions (continued)..............

Fraction ÷ Fraction

$$\frac{3}{4} \div \frac{1}{8}$$

Ask "How many groups of $\frac{1}{8}$ are in $\frac{3}{4}$?"

Picture Method

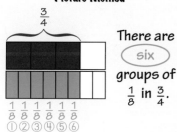

There are
six
groups of
$\frac{1}{8}$ in $\frac{3}{4}$.

Common Denominator Method*

$$\frac{3}{4} \div \frac{1}{8} = \frac{6}{8} \div \frac{1}{8} = \frac{6 \div 1}{8 \div 8} = \frac{6}{1} = 6$$

* See page 82 for more help finding common denominators.

Fraction ÷ Larger Fraction

$$\frac{1}{4} \div \frac{1}{2}$$

Ask "How many pieces of $\frac{1}{2}$ are in $\frac{1}{4}$?"

Picture Method

This represents having $\frac{1}{4}$ of the square.

This represents dividing the square into pieces that are each $\frac{1}{2}$ of the square.

How many pieces of size $\frac{1}{2}$ of the square are in each $\frac{1}{4}$ of the square?

There is
$\frac{1}{2}$
of a piece of $\frac{1}{2}$ of the square in $\frac{1}{4}$ of the square.

Reciprocal Multiplication Method

$$\frac{1}{4} \div \frac{1}{2} = \frac{1}{4} \times \frac{2}{1} = \frac{2}{4} = \frac{1}{2}$$

I can divide fractions by multiplying by the reciprocal. For example, the reciprocal of $\frac{1}{2}$ is $\frac{2}{1}$ or 2. The numerator (top) and denominator (bottom) flipped places.

Relationships Between Fractions, Decimals & Percents

Fractions, decimals and percents can be used to write the same number in different forms. Middle school students are expected to recognize different forms of the same number and have the flexibility to switch between the forms that are best for the situation. Students should develop a solid understanding of fractions before extending that understanding to decimals and percents. This is why decimals are studied in later grades.

Relationships Between Fractions, Decimals, Percents & Ratios.........................

Any number that can be written as a ratio (comparison of two numbers) with integers (positive or negative whole numbers or zero) is considered a **rational number**. Fractions, decimals and percents all fall into that category.

Ratios

Ratios compare two numbers and are often written in fraction form.

Katie has 30 CDs, Craig has 20 CDs. How much bigger is Katie's collection?

$$\frac{\text{Katie's CDs}}{\text{Craig's CDs}} = \frac{30}{20} = 1\frac{1}{2}$$

Ratio in fraction form.

Katie's collection is $1\frac{1}{2}$ times bigger than Craig's.

Katie's CDs : Craig's CDs
30 : 20
3 : 2

Ratio using a colon.

For every 3 CDs Katie has, Craig has 2.

Three to two.

Fractions

Fractions are numbers that represent part of a whole or part of a group.

$\frac{3}{4}$ of the balloons are red.

Percents

The word **percent** comes from a Latin word meaning "by the hundred." In math, a percentage is a fraction with the denominator 100.

$$45\% = \frac{45}{100} =$$

$$98\% = \frac{98}{100} =$$

Decimals

Decimals are fractions with a special set of denominators (tenths, hundredths, thousandths, ...). Instead of being written using a fraction sign, they are written using a decimal point.

$$\frac{7}{10} = \text{seven tenths} = 0.7 \qquad \frac{84}{100} = \text{eighty-four hundredths} = 0.84$$

Decimal Fractions...

Fractions with a denominator (bottom number) of 10 or 100 are sometimes called **decimal fractions** and are easily converted to decimals or money.

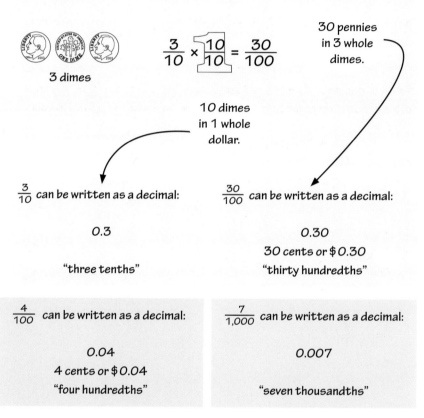

3 dimes

$$\frac{3}{10} \times \frac{10}{10} = \frac{30}{100}$$

30 pennies in 3 whole dimes.

10 dimes in 1 whole dollar.

$\frac{3}{10}$ can be written as a decimal:

0.3

"three tenths"

$\frac{30}{100}$ can be written as a decimal:

0.30
30 cents or $0.30
"thirty hundredths"

$\frac{4}{100}$ can be written as a decimal:

0.04
4 cents or $0.04
"four hundredths"

$\frac{7}{1,000}$ can be written as a decimal:

0.007

"seven thousandths"

 It takes 10 pennies to make a dime and 10 dimes to make a dollar. This 10-to-1 relationship works for all digits that are side-by-side in our place value system as you move from right to left.

97

Converting Fractions to Decimals & Percents...

Fractions can be written as a **decimal** or a **percent**.

One way to convert a fraction to a decimal is by making equivalent fractions with a denominator of 10; 100; 1,000; etc.

$$\frac{1}{2} \times \frac{5}{5} = \frac{5}{10} = 0.5 \qquad\qquad \frac{3}{4} \times \frac{25}{25} = \frac{75}{100} = 0.75$$

I know 2 x 5 is 10, so I'll multiply by $\frac{5}{5}$ to change my denominator to 10.

I know 4 x 25 is 100, so I'll multiply by $\frac{25}{25}$ to change my denominator to 100.

Another way to convert a fraction to a decimal is to divide. This works because a fraction is one way to show division.

Think

$$\frac{1}{8} = 1 \div 8.$$

```
     .125
8/1.000
   - 8
     20
   - 16
     40
    -40
      0
```

Percent means "by the 100." You can use fractions or decimals written in hundredths or percents to name the same number.

$$\frac{71}{100} = 0.71 = 71\%$$

Ratios & Rates

Ratios and rates are useful in math and in life. When you want to make 3 dozen cookies, but your recipe only makes 1 dozen, you use ratios to figure out how much of each ingredient you need to make the extra cookies. When you see bananas that cost $1.00 for 4 pounds, but you only need 1 pound, you use rates to find out how much the bananas will cost.

Ratios..

Ratios compare two or more numbers and can be written in different ways.

Here are a few different ways to compare the balls in Christian's toy box.

You can use a ratio to compare a part to a whole.

The ratio of baseballs to all balls is 2 to 7.
For every 2 baseballs in the box, there are 7 total balls.

This ratio can be written as:
$2 : 7$ or $\frac{2}{7}$

You can use a ratio to compare one part to another part.

The ratio of baseballs to beach balls is 2 to 1.
For every 2 baseballs in the box, there is 1 beach ball.

This ratio can be written as:
$2 : 1$ or $\frac{2}{1}$

You can use a ratio to compare one whole group to another whole group.

The ratio of Christian's balls to his brother Mark's balls is 7 to 10.
For every 7 balls Christian owns, Mark owns 10.

This ratio can be written as:
$7 : 10$ or $\frac{7}{10}$

Using Ratios as Rates...

Rates are ratios that show two different units and how they relate to each other. When you have a rate, you can find an unlimited number of equivalent ratios (ratios that are equal). You can use ratios as rates to convert from one measurement unit to another, such as from inches to yards or from days to seconds.

Converting Measurement Units

1. Write a ratio that has the unit you already know at the bottom and the unit you are converting to on the top. This ratio is called the **conversion factor**.
2. Then you multiply the **conversion factor** by the unit you already know.

How many feet of fencing must be purchased to go around a pool deck that has a perimeter of 24 yards?

Step 1	Step 2
There are 3 feet in 1 yard, so the conversion factor is:	I need to figure out how many feet there are in 24 yards, so I set up my ratio like this:

$$\frac{\text{feet} \longrightarrow 3}{\text{yards} \longrightarrow 1}$$

$$\frac{\text{feet} \longrightarrow 3}{\text{yards} \longrightarrow 1} \times 24 \text{ yards} = 72 \text{ feet}$$

I need to purchase 72 feet of fencing to go around the pool deck.

I can multiply a measurement unit by the rate (conversion factor) to find any equivalent measurement.

Equivalent Ratios..

You can use several different strategies to illustrate **equivalent ratios**. Equivalent ratios are equal to one another.

Tape Diagram

Sam is making lemonade. The recipe calls for 3 parts of lemon juice for every 4 parts of water. If Sam has already poured 8 cups of water into his container, how much lemon juice should he add?

Since 8 cups of water can be divided into 4 parts of 2 cups of water:

Water: | 2c | 2c | 2c | 2c |

Then each part of lemon juice would also be 2 cups:

Lemon Juice: | 2c | 2c | 2c |

So, Sam needs to add 6 cups of lemon juice to make his lemonade.

Double Number Line

Molly is walking her dog. She walks 5 meters every 2 seconds. How far will she walk in 8 seconds?

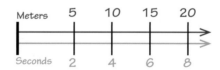

If Molly walks a constant speed, she will travel 20 meters in 8 seconds.

Equivalent Ratios (continued) ....

Ratio Table

A recipe calls for 2 ounces of pear juice to be added for every 5 ounces of apple juice. If I have 8 ounces of pear juice, how much apple juice should I add?

Apple Juice	Pear Juice
5	2
10	4
15	6
×	8

+5 (rows)   +2 (rows)

I can repeatedly add 5 ounces of apple juice for every 2 ounces of pear juice and record it on a table.

15 + 5 = 20
I need 20 ounces of apple juice.

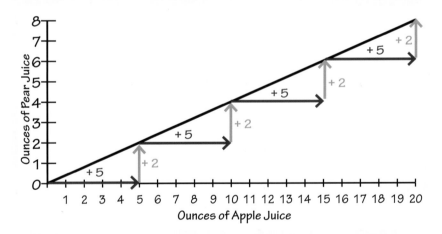

I can also show repeatedly adding 5 ounces of apple juice for every 2 ounces of pear juice on a graph.

Equivalent Ratios (continued) ....

If 2 pounds of beans cost $5, how much will 9 pounds of beans cost?

Strategy 1
Rate Table

Pounds	$
1	2.50
2	5
4	10
6	15
8	20

20 + 2.50 = 22.50

If 8 pounds cost $20 and one more pound is $2.50, that makes $22.50 in all for 9 pounds of beans.

Strategy 2
Per-Unit Rates

Pounds	$
2	5
1	2.50
9	22.50

$÷2$ $÷2$ $×9$ $×9$

If 1 pound is half of the price of 2 pounds, that's $5 ÷ 2 or $2.50. I can multiply that by 9 to find the cost of 9 pounds. 9 × $2.50 = $22.50.

Strategy 3
Multiplicative Reasoning

① Set up a table to show the relationship between the amount of beans and the cost (c).

①

	Rate we Know	Rate we Want
Pounds	2 ×4.5	9
$	5 ×4.5	c

What did I multiply by to get from 2 to 9? (4.5)

② Find the number that you multiply the "Rate we Know" to get to the "Rate we Want."

② 2 × ☐ = 9
   2 × 4.5 = 9

I can multiply 5 by the same number (4.5) to find how much 5 pounds of beans will cost.

③ Multiply the other "Rate we Know" by the result from Step 2 to find the missing value (c).

③ 5 × 4.5 = c
   c = 22.50

Algebraic Expressions, Equations & Inequalities

Algebraic thinking begins in primary grades, but what you might recognize as "algebra" begins in middle school. Though algebraic thinking looks different in the early grades, kids still use it to make sense of word problems and make generalizations in all areas of math.

By using algebra, kids are moving away from finding the answer to a single problem and moving closer to knowing how to solve any problem like it. They are learning to make sense of mathematics, instead of learning to make sense of only one problem. This is where the power lies in mathematics.

Algebra Vocabulary ....

Term
The parts of an expression separated by + or - signs, unless the signs are within parentheses.

$6x^2 - 5x + (4 - 2x) + 2$

This expression has four **terms**: $6x^2$, $5x$, $(4 - 2x)$ and 2.

Sum
The result of an addition problem.

$a + b = \textcircled{c}$

Sum

Product
The result of a multiplication problem.

$18 \cdot c = \textcircled{18c}$

Product

Difference
The result of a subtraction problem.

$m - j = \textcircled{k}$

Difference

Quotient
The result of a division problem.

$\dfrac{14x}{2} = \textcircled{y}$

Quotient

Coefficient
A number used to multiply a variable.

$\textcircled{4}x - 7 = 5$

Coefficients

$\textcircled{6}z$

Factor
An integer that divides evenly into another.

$2 \times 6 = 12$

2 and 6 are **factors** of 12.

Variable
A symbol (any letter or $\square$) that stands for a number you don't know yet.

$n + 2 = 6$

$7 + 9 = \square$

n and $\square$ are **variables**.

Writing Expressions..

An **expression** is a group of terms that represent numbers, unknowns and operations. An expression does not have an equal sign. When you need to translate a word problem into an expression, you use numbers when you know what they are. You use variables when you don't know the numbers.

Problem	Expression
Show a full bag plus 3 more.	$b + 3$
Show a bag with 3 missing.	$b - 3$
Show 3 full bags.	$3b$ or $3 \times b$
Show a full bag separated into groups of 3.	$b \div 3$ or $\dfrac{b}{3}$

Problem	Expression
Add 8 and 7, then multiply by 2.	$2(8 + 7)$
Add 8 and 27, then add 2 more.	$(8 + 27) + 2$
Multiply 6 by 30 and add it to the product of 6 times 7.	$(6 \times 30) + (6 \times 7)$

Sometimes it is not necessary to calculate an answer, but instead be able to recognize the comparative size of the answer.

- $5(12 + 9)$ is 5 times larger than $12 + 9$
- $3(18,972 + 921)$ is three times larger than $18,972 + 921$

Evaluating Expressions..

When you **evaluate** an **expression**, you substitute the given number for every variable you find in an expression.

$$\text{Evaluate if } x = \frac{1}{2}$$

$2(4 + x) - 1$	$2(4 + x) - 1$
$2(4 + \frac{1}{2}) - 1$	$2(4 + \frac{1}{2}) - 1$
$2(4\frac{1}{2}) - 1$	$(2 \cdot 4) + (2 \cdot \frac{1}{2}) - 1$
$9 - 1$	$8 + 1 - 1$
$= 8$	$= 8$

Solved using the **order of operations**.

Solved using the **distributive property**.

$$\frac{1}{2}[24(x - \frac{1}{4})]$$
$$\frac{1}{2}[24(\frac{1}{2} - \frac{1}{4})]$$
$$\frac{1}{2}[24(\frac{1}{4})]$$
$$\frac{1}{2}[6]$$
$$= 3$$

$$\frac{1}{2}[24(x - \frac{1}{4})]$$
$$\frac{1}{2}[24(\frac{1}{2} - \frac{1}{4})]$$
$$\frac{1}{2}[(24 \cdot \frac{1}{2}) - (24 \cdot \frac{1}{4})]$$
$$\frac{1}{2}[12 - 6]$$
$$(\frac{1}{2} \cdot 12) - (\frac{1}{2} \cdot 6)$$
$$6 - 3$$
$$= 3$$

*See page 16 for more on the order of operations.

Generating & Analyzing Patterns ....

A **pattern** is a sequence that repeats the same process over and over. A **T-Chart** is a tool used to help see number patterns.

There are 2 marbles in the jar. Each day, 4 marbles are added.
How many marbles are in the jar for each of the first 5 days?

Day	Marbles
0	2
1	6
2	10
3	14
4	18
5	22

+ 4
+ 4
+ 4
+ 4
+ 4

If I add 4 each day, there will be 22 marbles at the end of day 5!

Investigating number patterns leads to identifying rules and observing unique features.

Pattern	Rule	Features
5, 10, 15, 20...	start with 5, add 5	The numbers are multiples of 5
		They all end in a 5 or 0
		The numbers that end in a 0 are products of 5 and an even number
3, 8, 13, 18, 23...	start with 3, add 5	The numbers alternatively end with a 3 or 8

Writing Equations ....

An **equation** is a mathematical sentence. It always has an = sign showing that the expressions are equal. When you need to translate a word problem into an equation, think about the quantities that are equal to each other. Then write an expression for each quantity.

Susan has 15 pieces of gum. How many pieces are in each pack if she has 2 packs and 3 extra pieces?

$$15 = 2p + 3$$

p is the number of pieces of gum in each pack.

Sam gets $5 per hour for doing yard work, plus $20 when he finishes the yard. If he made $35, how many hours did he work?

$$5h + 20 = 35$$

h is the number of hours spent doing yard work.

Daniel went to visit his grandmother who gave him $5.50. Then he bought a book costing $9.20. If he has $2.30 left, how much money did he have before visiting his grandmother?

Expression $x + 5.50 - 9.20$

Equation $x + 5.50 - 9.20 = 2.30$

x is the amount of money Daniel had before visiting his grandmother.

How many 44¢ stamps can you buy with $11?

$$11 \div 0.44 = n$$
or
$$0.44n = 11$$

These are both equations!

n is the number of stamps you can buy.

Solving Equations (Two-step).........................

When you **solve** an **equation**, you find the values for the variables that make it true.

 Whatever you do to one side of an equation, you must also do to the other side!

 Addition and subtraction "undo" each other. They are called **inverse operations.** Multiplication and division "undo" each other, also.

$$15 = 2p + 3$$

① Subtract 3 from each side of the equation.

① $15 - 3 = 2p + 3 - 3$
$12 = 2p$

② Divide both sides by 2, so that you can find the value of 1 p.

② $\dfrac{12}{2} = \dfrac{2p}{2}$
$6 = p$

$$5h + 20 = 35$$

① Subtract 20 from each side of the equation.

① $5h + 20 - 20 = 35 - 20$
$5h = 15$

② Divide both sides by 5, so that you can find the value of 1 h.

② $\dfrac{5h}{5} = \dfrac{15}{5}$
$h = 3$

Solving Equations (continued) ....

Many real world problems involve two **variables** that change in relationship to each other.

A car is traveling on a highway at a speed of 65 miles per hour.
Express this constant rate of speed in relationship to distance and time.
Then determine the distance the car has traveled after 1, 2, and 3 hours of traveling.

$$d \quad = \quad 60 \quad \cdot \quad t$$

| distance in miles (dependent variable) | miles per hour | time in minutes (independent variable) |

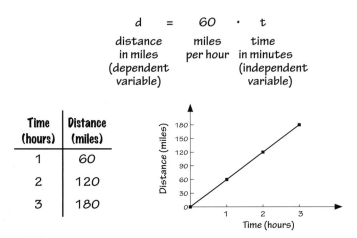

Time (hours)	Distance (miles)
1	60
2	120
3	180

A **variable** is anything you are trying to measure. There are two types of variables—independent and dependent.

An **independent variable** stands alone and isn't changed by the other variables you are trying to measure. In fact, it causes a change in the other variables or dependent variables.

A **dependent variable** is something that depends on other factors.

To decide which variable is independent and which is dependent, just insert the names into this sentence:
independent variable causes a change in dependent variable, and it is not possible that dependent variable could cause a change in independent variable.

For example: Time causes a change in distance and it isn't possible that distance could cause a change in time.

Solving Inequalities ....

While an equation has an = sign to show that the expressions are equal, an **inequality** does not contain the = sign. Instead, an inequality contains a different sign, like those shown below:

$\neq$	$>$	$<$	$\geq$	$\leq$
not equal	greater than	less than	greater than or equal	less than or equal

 You solve **inequalities** with + and - in the same way that you solve equations: whatever you do to one side of an inequality, you must also do to the other side.

A number (*n*) minus four is greater than two.

$$n - 4 > 2$$
$$n - 4 + 4 > 2 + 4$$
$$n > 6$$

The sum of *x* plus five is less than or equal to negative two.

$$x + 5 \leq -2$$
$$x + 5 - 5 \leq -2 - 5$$
$$x \leq -7$$

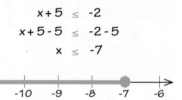

The open circle means that 6 is not included as a solution, only numbers greater than 6.

The filled circle means that -7 is a possible solution.

So, *n* could be any number greater than 6 to make a true statement.

So, *x* could be any number less than or equal to -7 to make a true statement.

 Inequalities have an endless amount of possible solutions, so it's easier to show the answers on a number line.

Coordinate Planes

Coordinate planes help us describe where an object is located. If you've seen a map on a grid, then you've seen a coordinate plane. Cities and shopping malls often display maps on coordinate planes to help you locate the street or store you wish to find. Showing where objects are located is an important idea in geometry.

Coordinate Geometry...

A **coordinate grid** is a way to locate points on a flat surface. To draw a coordinate grid, you draw a horizontal line (called the x-axis) and a vertical line (called the **y-axis**). The point where these two lines intersect is called the origin.

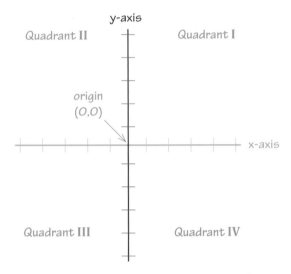

The axes divide the plane into 4 sections called quadrants.

Quadrants are labeled with Roman numerals for one (I), two (II), three (III) and four (IV), beginning in the top right corner and moving counter-clockwise.

Coordinate Plane...

You can name any point on a **coordinate plane** with two numbers (called **ordered pairs** or **coordinates**). The first number shows how far the point is side-to-side along the **x-axis**, and is called the **x-coordinate**. The second number is for how far the point is up-and-down along the **y-axis**, and is called the **y-coordinate**.

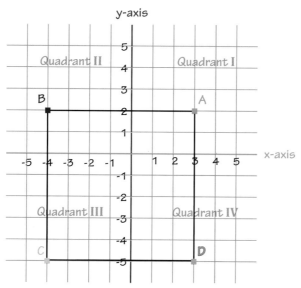

For rectangle ABCD:

Point	Ordered Pair	Quadrant
A	(3, 2)	Quadrant I
B	(-4, 2)	Quadrant II
C	(-4, -5)	Quadrant III
D	(3, -5)	Quadrant IV

To find the length of $\overline{AB}$, you can add the absolute value* of each x-coordinate:
$|3| + |\text{-}4| = 3 + 4 = 7.$

To find the length of $\overline{AD}$, you can add the absolute value* of each y-coordinate:
$|2| + |\text{-}5| = 2 + 5 = 7.$

*See page 72 for more on absolute value.

117

Graphing in the Coordinate Plane................

When graphing points on a **coordinate plane**, the value of y depends on the value of x. This means that we can choose a value for x, but as soon as we do, the value of y changes.

x = independent variable
y = dependent variable

$$y = 3\ (x) + 2$$

If we choose the x values 1, 2, 3 & 4, what will the y values be?

x	Substitute x into the equation to determine y	y
1	3(1) +2 = 3 + 2 = 5	5
2	3(2) + 2 = 6 + 2 = 8	8
3	3(3) + 2 = 9 + 2 = 11	11
4	3(4) + 2 = 12 + 2 = 14	14

The ordered pairs for this function would be:
(1, 5), (2, 8), (3, 11), (4, 14)

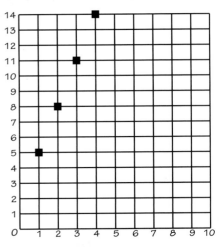

x	y	(x, y)
1	5	(1, 5)
2	8	(2, 8)
3	11	(3, 11)
4	14	(4, 14)

Matt ate lunch with his cousin who lived 2 miles from his house. He then continued in the same direction as he walked to his grandma's house at a rate of 3 mph. After walking 1 hour, how far was Matt from his house?

I can use equations, tables, and graphs to model and solve real world problems.

Graphing Numerical Patterns.........................

Coordinate grids can also be used to analyze two number patterns generated by using given rules. There are several things we need to know about patterns: the rule, the pattern and the features of the pattern.

Rule	Pattern	Features
start with 0, add 3	0, 3, 6, 9, 12, 15, 18, 21, ...	The sum of the digits is a multiple of 3
start with 0, add 6	0, 6, 12, 18, 24, 30, 36, ...	All of the numbers are even All of the numbers are multiples of 6

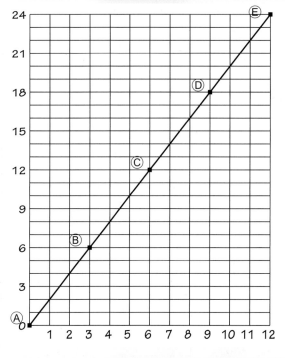

I can use the patterns to create number pairs and then graph those pairs on a coordinate grid.

Number Pairs:
Ⓐ (0, 0)
Ⓑ (3, 6)
Ⓒ (6, 12)
Ⓓ (9, 18)
Ⓔ (12, 24)

Rule	Pattern				
add 3	0	3	6	9	12
add 6	0	6	12	18	24

119

Geometry

When kids study geometry, they are doing more than just learning about shapes. Young students learn how to put shapes together to build new shapes (compose) or break shapes apart into other shapes (decompose). This builds the idea that numbers can be composed and decomposed too, which is fundamental to algebra.

Attributes of Shapes...

Shapes are most often described or categorized by their **defining attributes**.

Shape Attributes

- Number of sides
- Number of angles
- Vertex/vertices (pp. 129,133)
- Congruent sides (p. 124)
- Adjacent sides (p. 124)

- Parallel sides (p. 123)
- Perpendicular sides (p. 123)
- Symmetry (p. 124)
- Angle types (pp. 125-126)

Defining Attribute

These shapes are triangles. They each have 3 sides and 3 **vertices** (angles / corners).

A **defining attribute** is a specific feature or characteristic such as the number of sides, number of vertices or length of each side.

Non-defining Attribute

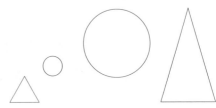

A **non-defining attribute** is a characteristic that could describe a variety of shapes, such as color or size.

The shapes on the right are big, the shapes on the left are small.

Geometry Vocabulary......................................

Point	Line	Ray	Line Segment
• K	F ⟷ G	O ⟶ P	S ── F
An exact position in space.	A straight path of points that has no endpoints.	A line that has 1 endpoint and continues indefinitely in the other direction.	Part of a line that has 2 endpoints.
This is point K.	This is line FG.	This is ray OP.	This is line segment SF.

Parallel

Parallel lines never cross because, like rails on a train track, they are always the same distance apart no matter how far the lines extend.

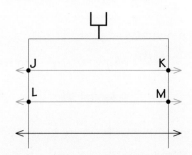

The yard lines on a football field are **parallel**.

$$\overleftrightarrow{JK} \ || \ \overleftrightarrow{LM}$$

Line $\overleftrightarrow{JK}$ is **parallel** to line $\overleftrightarrow{LM}$.

Perpendicular

Perpendicular lines form a right angle (90°) where they intersect.

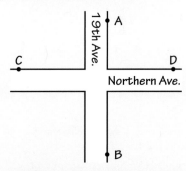

Northern Avenue and 19th Avenue are **perpendicular** roads.

$$\overleftrightarrow{AB} \perp \overleftrightarrow{CD}$$

Line $\overleftrightarrow{AB}$ is **perpendicular** to line $\overleftrightarrow{CD}$.

Symmetry ....

When you can fold a figure so that it has two parts that match exactly, it is said to have a **line of symmetry.**

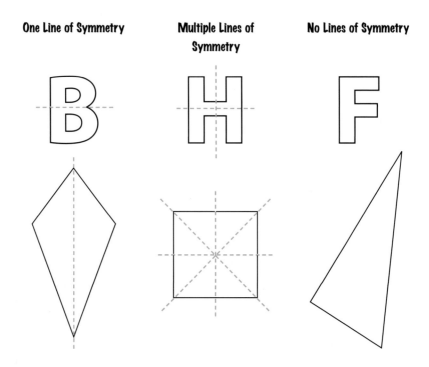

One Line of Symmetry	Multiple Lines of Symmetry	No Lines of Symmetry

Adjacent & Congruent Sides ....

Adjacent Sides

Adjacent sides are next to each other and share one vertex.

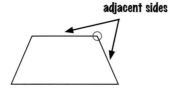

Congruent Sides

Congruent sides are the same length.

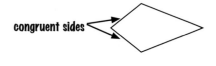

Angles ···

An **angle** is a turn around a point. The size of an angle is determined by measuring how far one side is turned from the other side.

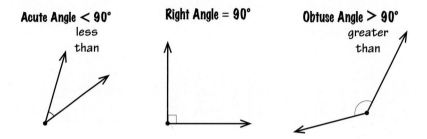

Acute Angle < 90°
less than

Right Angle = 90°

Obtuse Angle > 90°
greater than

For more information about angle
measures, see pages 126-127.

What *do each of these shapes have in common?*

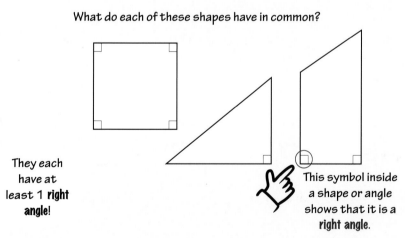

They each
have at
least 1 **right
angle!**

This symbol inside
a shape or angle
shows that it is a
right angle.

Angle Measures ....

An **angle** is formed when two rays or line segments meet at a common point, sometimes called a **vertex**. An angle is measured in reference to a circle with its center at the common endpoint of the rays. The measure of an angle tells how far one ray of the angle is turned from the other ray. It is measured in **degrees**. One full turn is 360°.

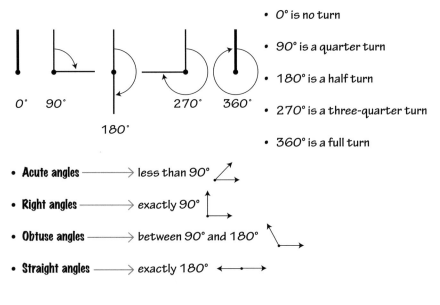

- 0° is no turn
- 90° is a quarter turn
- 180° is a half turn
- 270° is a three-quarter turn
- 360° is a full turn

- **Acute angles** ———→ less than 90°
- **Right angles** ———→ exactly 90°
- **Obtuse angles** ———→ between 90° and 180°
- **Straight angles** ———→ exactly 180°

An angle that is 1° is $\frac{1}{360}$ of a full circle.
An angle that is 45° is $\frac{45}{360}$ or $\frac{1}{8}$ of a full circle.

Measuring Angles...

Unknown angles can be measured or determined by looking carefully at the measure of known angles.

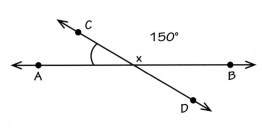

$\overleftrightarrow{AB}$ is a straight line, so $\angle AXB$ is $180°$.

I can calculate the measure of $\angle AXC$ by subtracting $150°$ from $180°$.

See pages 125-126 for more about angles.

$\angle AXC + \angle CXB = 180°$
$\angle AXC + 150° = 180°$
$\angle AXC = 30°$

Angles can also be measured by using a **protractor**. The figure below shows a protractor being used to measure a 45° angle.

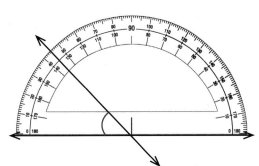

The protractor is placed so that one side of the angle lies on the line corresponding to 0°.

The measurement of the angle is read by noting where the other side of the angle passes through the protractor.

Two numbers are shown on the protractor at each 10° increment, so students must use their knowledge of acute and obtuse angles, and angle markings to select the correct measurement.

Polygons ....

A **polygon** is a closed figure formed by straight line segments.

Polygons

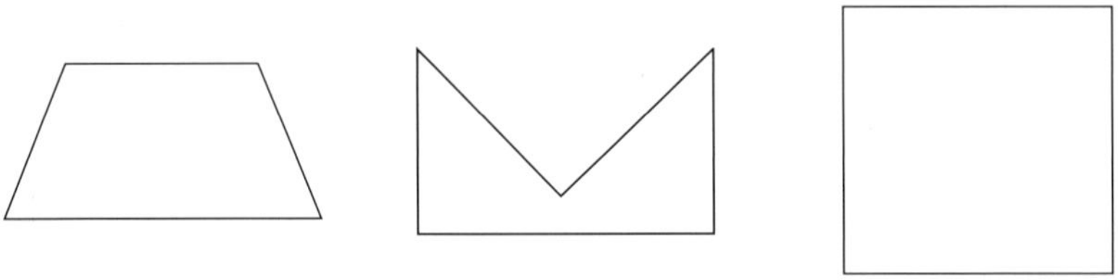

Not Polygons

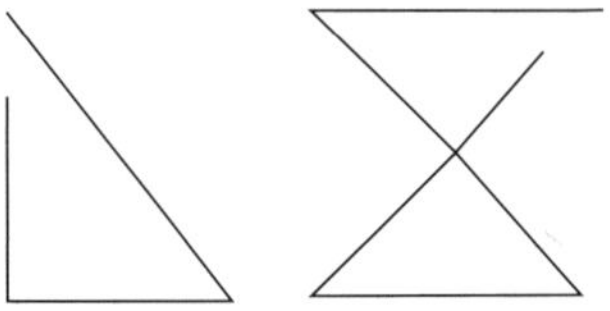

Open
Figures

This is a half
circle.

Curved lines - shapes not made with
straight line segments.

This is a
quarter
circle.

2-D Shapes ....

Shapes can be classified as either two-dimensional (**2-D**) or three-dimensional (**3-D**). 2-D shapes have length and width—they are considered "flat."

Name	Examples	Description
Triangle		3 sides, 3 angles
Quadrilateral (4 sides, 4 angles)	Square	4 congruent sides, 4 equal angles
	Rectangle	opposite sides are parallel, 4 equal angles
	Trapezoid	at least 1 pair of parallel sides
	Parallelogram	2 pairs of parallel sides
	Rhombus	parallelogram with 4 equal sides
	Kite	2 pairs of adjacent, congruent sides
Pentagon		5 sides, 5 angles
Hexagon		6 sides, 6 angles
Octagon		8 angles, 8 sides
Decagon		10 angles, 10 sides

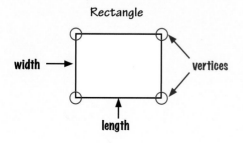

Rectangle

width →

← vertices

length

In addition to length & width, most 2-D shapes have vertices, also known as angles or "corners."

Classification of Triangles ....

Triangles can be classified by either their sides or their **angles**.

Classification by Sides

 An equilateral triangle has 3 equal sides.

 An **isosceles triangle** has 2 equal sides.

A scalene triangle has no equal sides.

Classification by Angles

 An acute triangle has 3 angles less than 90°.

 An **obtuse triangle** has 1 angle more than 90°.

 A right triangle has one 90° angle.

Classification of Quadrilaterals......................

Sometimes shapes can fit into more than one category.

This shape is a square.
It has four equal sides and four
90° angles. This shape is a special
rectangle. It has opposite sides that
are parallel and four 90° angles.

 All squares are rectangles,
but not all rectangles are
squares.

This shape is a rectangle.
It has opposite sides that are
parallel and four 90° angles.

 All rectangles are parallelograms,
but not all parallelograms are
rectangles.

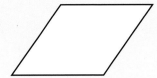

This shape is a rhombus.
It has four equal straight sides. This
shape is a special parallelogram. It
has opposite sides that are parallel
and opposite angles that are equal.

 All squares are rhombuses,
but not all rhombuses are
squares.

This shape is a parallelogram.
It has opposite sides that are
parallel and opposite angles that are
equal.

 All rhombuses are
parallelograms, but not all
parallelograms are rhombuses.

Classification of Quadrilaterals (continued)...

Quadrilaterals can also be classified using a Venn diagram to show relationships.

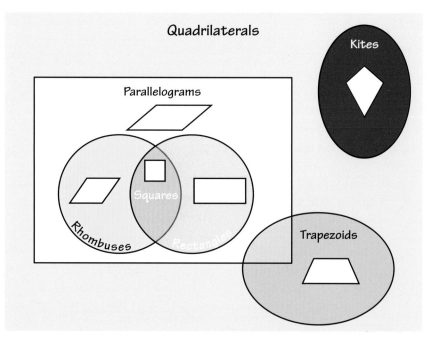

Trapezoids have two valid definitions that differ slightly. Some define a trapezoid as a four-sided shape that has **only one** pair of parallel sides ⟋⟍, which means that it would not be a parallelogram. Others define a trapezoid as having **at least one** pair of parallel sides ▱, which means that it could be a parallelogram.

Trapezoid (Not a Parallelogram)

Only one pair of parallel sides.

Trapezoid (Parallelogram)

At least one pair of parallel sides.

3-D Shapes...

Three-dimensional shapes have **length, width** and **depth**. They are not flat, but instead have volume.

- The **face** of a solid figure (prism) is a flat surface. A prism has two faces called **bases**. Bases are parallel and the same shape and size (congruent). Usually bases are the top and bottom of the prism.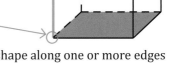

- An **edge** is a line where two faces meet.

- A **vertex** is a point where two or more lines, corners, or edges meet. **Vertices** is plural.

- A **net** is when you cut the surface of a solid shape along one or more edges and unfold it into a flat shape.

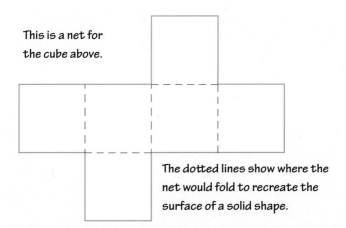

This is a net for the cube above.

The dotted lines show where the net would fold to recreate the surface of a solid shape.

3-D Shapes (continued) ....

Solid		Faces	Edges	Vertices	Nets (one of many)
Cube		6	12	8	
Right Rectangular Prism		6	12	8	
Right Circular Cone		2	1	1	
Right Circular Cylinder		3	2	2	
Right Rectangular Pyramid		5	8	5	

 This chart shows just one of many different ways to make a net for each of the solids.

Composite Shapes...

A composite shape is a shape composed from two or more other shapes. A composite shape can be either two-dimensional or three-dimensional.

2-D Composite Shapes

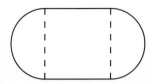

This shape was made by combining a square with two half circles.

This shape was made by combining a triangle with a rectangle.

This shape was made by combining four of the above shapes.

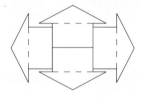

3-D Composite Shapes

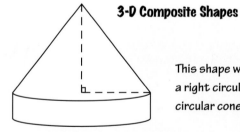

This shape was made by combining a right circular cylinder with a right circular cone.

This shape was made by combining two cubes with a right rectangular prism.

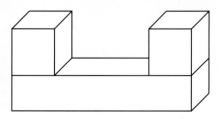

Measurement

Measurement is important in math and in life. Because of its usefulness, instruction in measurement begins in the primary grades as kids measure lengths, and continues through middle school where they are taught to measure volume.

Measurement is a topic that connects geometry and numbers together and helps both topics make more sense to kids.

Measurement: Length.......................................

The **length** of an object is measured by laying multiple copies of a shorter object end to end, with no gaps and no overlaps. Measurements can be exact or they can be estimates that are "close enough."

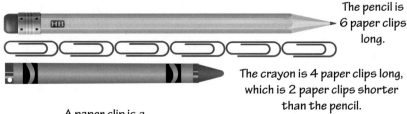

The pencil is 6 paper clips long.

The crayon is 4 paper clips long, which is 2 paper clips shorter than the pencil.

A paper clip is a **nonstandard unit of measure**, while an inch is a **standard unit of measure**.

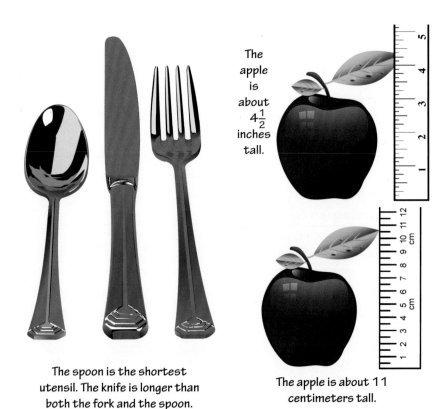

The apple is about $4\frac{1}{2}$ inches tall.

The spoon is the shortest utensil. The knife is longer than both the fork and the spoon.

The apple is about 11 centimeters tall.

Length Measurement: Word Problems ....

Jane wondered how much taller her framed family picture was than her favorite book.

The book is 11 inches tall

The picture frame is 16 inches tall

$$16 - 11 = 5$$

Jane's picture frame is 5 inches taller than her book.

Tilly measured her bean plant before leaving school for the holiday break. It was 2 inches tall. **When she returned from break, she measured it again. Now it is 18 inches tall!** How much did Tilly's plant grow over the break?

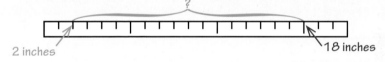

2 inches

18 inches

$$2 + \boxed{} = 18$$

Since $2 + 16 = 18$ **or** $18 - 2 = 16$, Tilly's plant grew 16 inches during the break!

William is 51 inches tall. **His baby sister Sydney is 22 inches tall.** How much taller is William than Sydney?

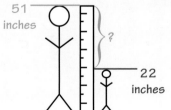

51 inches

?

22 inches

$$51 - 22 = \boxed{}$$
$$51 - 22 = 29$$

William is 29 inches taller than Sydney.

Length Measurement: U.S. Standard...........

The table below identifies how **length** is measured in the U.S. Standard/ Customary System.

Unit	Equivalent	Benchmark
inch (in)		width of a quarter
foot (ft)	12 inches	length of 3-ring notebook
yard (yd)	3 feet	from your nose to the tip of your fingers with arm outstretched
mile (mi)	5,280 feet	20 minute walking distance

(Length)

 Length can be measured using a ruler, yard stick or measuring tape.

Length

Fiona is cutting strips of ribbon 18 inches long. How many feet long is each strip of ribbon?

Since 1 foot = 12 inches

$18 \div 12 = 1\frac{1}{2}$ feet

or

$\frac{12 \text{ in}}{1 \text{ ft}} = \frac{18 \text{ in}}{x}$

Weight Measurement: U.S. Standard...........

The table below identifies how **weight** is measured in the U.S. Standard/ Customary System.

Unit	Equivalent	Benchmark
ounce (oz)		slice of bread
pound (lb)	16 ounces	2 large apples
ton (T)	2,000 pounds	small car

(Weight)

 Weight can be measured using a scale.

Weight

John's new puppy weighs 4 pounds. How many ounces does his puppy weigh?

Since 1 pound = 16 ounces

$4 \times 16 = 64$ oz

or

$\frac{1 \text{ lb}}{16 \text{ oz}} = \frac{4 \text{ lb}}{x}$

Liquid Volume Measurement: U.S. Standard...

The table below identifies how **liquid volume** is measured in the U.S. Standard/ Customary System.

Unit	Equivalent	Benchmark
fluid ounce (fl oz)		
cup (c)	8 fluid ounces	school milk container
pint (pt)	2 cups	
quart (qt)	2 pints	
gallon (gal)	4 quarts	jug of milk

Liquid Volume (left label)

Liquid Volume

Molly is making hot chocolate using a recipe that calls for 1 pint of milk. How many batches can she make using 1 gallon of milk?

 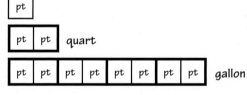

Molly can make 8 batches of hot chocolate.

pt

pt | pt   quart

pt | pt | pt | pt | pt | pt | pt | pt   gallon

Length, Weight & Liquid Volume Measurement: Metric..............................

The basic metric units are **meters** (for length), **grams** (for weight) and **liters** (for liquid volume). Metric **units** are friendly to work with since they are all based on multiples of ten.

largest   smallest

kilo-	hecto-	deca-	unit	deci-	centi-	milli-
1,000×	100×	10×	1×	$\frac{1}{10}$ ×	$\frac{1}{100}$ ×	$\frac{1}{1,000}$ ×

A decagram is 10 times smaller than a hectogram and 100 times smaller than a kilogram.

Although still smaller than a meter, a centimeter is 10 times larger than a millimeter.

 To convert from a smaller unit of measure to a larger unit of measure, **divide** by the relevant multiple of ten.

4,000 milliliters = ____ liters

$$\frac{4,000}{1,000} = 4\,L$$

675 centimeters = ____ meters

$$\frac{675}{100} = 6.75\,m$$

 To convert from a larger unit of measure to a smaller unit of measure, **multiply** by the relevant multiple of ten.

8 centimeters = ____ millimeters

$$8 \times 10 = 80\,mm$$

38.2 kilometers = ____ meters

$$38.2 \times 1,000 = 38,200\,m$$

Telling Time ....

Time is measured in **hours, minutes** and **seconds** on analog and digital clocks.

Analog Clocks

Analog clocks have two or three hands. The hour hand is the shortest, the minute hand is longer, and the second hand is long and thin. These hands all move **clockwise**, or to the right when starting at the 12.

Exact Hour	Between Hours	Exact Minute
Shown when the minute hand is pointing directly at 12 and the hour hand is pointing directly at any number on the clock	Unless the minute hand is on the 12, the hour is always the number counter-clockwise (left starting at 12) from the hour hand.	There are 5 minutes between each number on the clock face, so each hour mark represents 5 times as many minutes.

Eleven o'clock	Nine twenty	Six o'nine

Minutes can also be read as fractions of an hour:

Quarter past 7 o'clock	Half past 10 o'clock	Quarter till 8 o'clock

Digital Clocks

On a digital clock, the hour is always the number to the left of the colon.

11:32 PM | Eleven thirty-two at night

- From midnight until before noon, the time is a.m.
- From noon until before midnight, the time is p.m.

143

Elapsed Time...

The time that passes between a start time and an end time is called **elapsed time**. To find elapsed time, count from the starting time to the finishing time.

Elapsed time is 1 hr. 30 min.

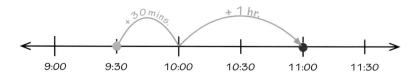

Will went to a movie that started at 11:30 a.m. and lasted two hours, 15 minutes. **What time did the movie finish?**

	Elapsed Time
11:30	(movie starts)
11:30 - 12:00	$\frac{1}{2}$ hour
12:00 - 1:00	1 hour
1:00 - 1:30	$\frac{1}{2}$ hour
1:30 - 1:45	15 minutes

2 hours

The clock will begin its count over again when it reaches noon!

The movie ended at 1:45 p.m.

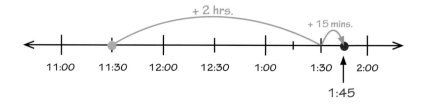

Money..

The U.S. Monetary System is conveniently based on groups of ten, allowing us to write monetary amounts using **decimal notation**.

Penny	Nickel	Dime	Quarter

1¢	5¢	10¢	25¢
$0.01	$0.05	$0.10	$0.25

Half Dollar   **Dollar**

50¢   100¢
$0.50 $1.00

If you have 2 dimes and 3 pennies, how many cents do you have?

1¢ + 1¢ + 1¢ = 3¢

10¢ + 10¢ = 20¢

3¢ + 20¢ = 23¢ or $0.23

Mr. Juarez emptied his pockets and found:

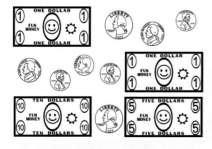

How much money did Mr. Juarez find?

Count all of the bills first, starting with the largest, adding on as you go.

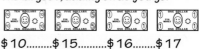

$10.........$15...........$16........$17

Then count the change, starting with the largest and adding on as you go.

$17.25...$17.50...$17.60...$17.65...$17.70...$17.71...$17.72...$17.73

Mr. Juarez found $17.73.

Perimeter & Area...

To find the **perimeter** of any shape, you simply add the lengths of all sides (even the sides that do not show the measurement). There are different formulas to find the **area** for different shapes.

Formulas for Rectangles

Perimeter = 2 (ℓ + w) ℓ = length
Area = $\ell \times$ w   w = width

Perimeter

Perimeter is the distance around a polygon.

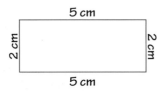

P = 5 cm + 2 cm + 5 cm + 2 cm
P = 14 cm

Area

Area of a figure is the number of square units inside the figure without gaps or overlaps.

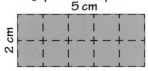

A = 2 cm x 5 cm
A = 10 cm² (square centimeters)

When fencing a garden, you need to calculate **perimeter**.

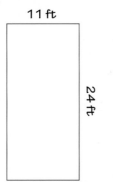

P = 11 ft + 24 ft + 11 ft + 24 ft
P = 70 ft

When covering a floor with carpet or tile, you need to calculate area.

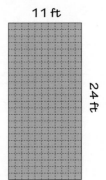

A = 11 ft x 24 ft
P = 264 ft² (square feet)

146

Perimeter & Area of Rectangles with Fractional Side Lengths ....

To find the **perimeter** and **area** of rectangles without whole number side lengths, you can follow the same procedure as you would for whole numbers.

Perimeter	**Area**
Perimeter is the distance around a polygon.	Area of a figure is the number of square units inside the figure without gaps or overlaps.

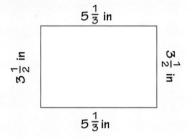

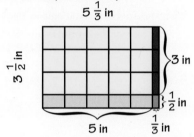

$P = 2(\ell) + 2(w)$

$P = 2(3\frac{1}{2}) + 2(5\frac{1}{3})$

$P = 7 + 10\frac{2}{3}$

$P = 17\frac{2}{3}$ inches

$A = \ell \times w$

$A = 5\frac{1}{3} \times 3\frac{1}{2}$

I'll use the decomposition strategy from p. 91!

$(5 + \frac{1}{3}) \times (3 + \frac{1}{2})$

$A = (5 \times 3) + (5 \times \frac{1}{2}) + (3 \times \frac{1}{3}) + (\frac{1}{2} \times \frac{1}{3})$

$A = 15 + 2\frac{1}{2} + 1 + \frac{1}{6}$

$A = 18\frac{4}{6}$ in² (square inches)

Area of a Parallelogram....................................

If you cut up a parallelogram, you can rearrange the pieces to make a rectangle. This way you can use what you know about finding the **area** of a rectangle to find the **area** of a parallelogram.

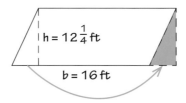

Since the area of a rectangle is length times width (or base times height), the area of this parallelogram is also base times height.

$$A = b \times h$$
$$= 16 \times 12\tfrac{1}{4}$$
$$= 196 \text{ ft}^2$$

$b = $ base
$h = $ height

Area of a Triangle ....

Every triangle is half a rectangle. Since the **area** of a rectangle is length times width (or base times height), the **area** of a triangle is half that product.

$h = 5$ in $b = 4$ in

$h = 9\tfrac{1}{2}$ cm $b = 10$ cm

$$A = \tfrac{1}{2} \times b \times h$$

$\tfrac{1}{2} \times 4 \times 5$

$\tfrac{1}{2} \times 20$

$= 10 \text{ in}^2$

$\tfrac{1}{2} \times 10 \times 9\tfrac{1}{2}$

$\tfrac{1}{2} \times 95$

$= 47\tfrac{1}{2} \text{ cm}^2$

Solving Area Problems...

If you know that the **area** of a parallelogram is bh (base times height or length times width) and that the **area** of a triangle is $\frac{1}{2} bh$ ($\frac{1}{2}$ of the base of the triangle times the height), you can use this information to solve other area problems.

What is the area of the figures below?

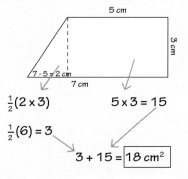

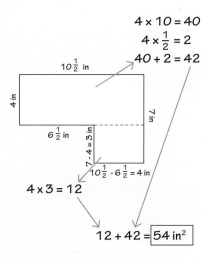

These are both examples of composite figures—they are made up of more than one shape.

149

Volume...

The **volume** is the amount of space inside a three-dimensional (**3-D**) shape. Volume is measured in cubic units (u^3), which tells you how many cubes would fit inside the prism, like blocks in a box without gaps or overlaps.

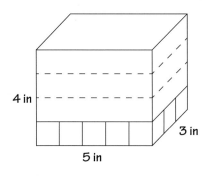

$\square$ = 1 cubic unit = 1 u^3

4 in

3 in

5 in

Volume =   Number of cubic units to fill the bottom.   ×   Number of layers.

I would need 15 cubic-inch blocks to fill the bottom layer of this prism.
5 in x 3 in x 1 in = 15 in³
It would take 4 of these layers to fill the whole prism.
15 in³ x 4 layers = 60 in³

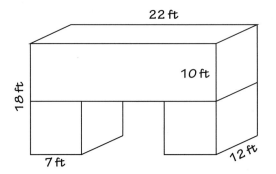

22 ft

10 ft

18 ft

7 ft

12 ft

This shape is made from 3 rectangular prisms. The largest prism (on top) measures 22 ft x 10 ft x 12 ft, it contains 2640 cubic feet. The two smaller prisms measure 7 ft x 8 ft x 12 ft, they each contain 672 cubic feet.

In all, the volume of the shape is 2,640 ft³ + 672 ft³ + 672 ft³ or 3,984 ft³.

Volume (continued)..

$$V = \ell \times w \times h$$
length × width × height
OR
$$V = B \times h$$
Area of base × height

Two different boxes of cereal cost the same amount. Wanting the most for her money, Sofia wants to know which box holds more cereal.

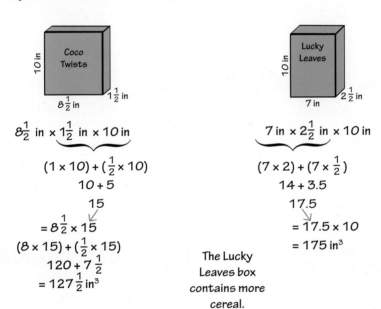

$8\frac{1}{2}$ in × $1\frac{1}{2}$ in × 10 in

$(1 \times 10) + (\frac{1}{2} \times 10)$
$10 + 5$
15
$= 8\frac{1}{2} \times 15$
$(8 \times 15) + (\frac{1}{2} \times 15)$
$120 + 7\frac{1}{2}$
$= 127\frac{1}{2}$ in³

7 in × $2\frac{1}{2}$ in × 10 in

$(7 \times 2) + (7 \times \frac{1}{2})$
$14 + 3.5$
17.5
$= 17.5 \times 10$
$= 175$ in³

The Lucky
Leaves box
contains more
cereal.

Data

The work students do with data in the primary grades gets them ready for the work they'll do with statistics in middle school. It also gives them a real-life way to use the math they are learning, since we see data in graphs almost daily.

Data..

There are two distinct types of **data**, measurement data and categorical data.

Measurement data comes from taking measurements.

How many inches tall are you?

I am _____ inches tall.

How many minutes does it take to travel to school?

It takes me _____ minutes.

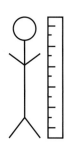

Categorical data comes from sorting objects into categories.

Which pet do you prefer, cats or dogs?

I prefer _____.

Students' Favorite School Subject

Math	ⅢⅢ Ⅲ I
Reading	Ⅲ III
Science	Ⅲ I

11 liked math and 6 liked science. 11 is 5 more than 6.

How many students liked either math, reading or science?

25 students

How many like reading?

8 students

How many preferred math over science?

5 students

I can count the tallies to find the answers.

Picture Graphs...

Picture graphs (also called pictographs) use pictures or symbols to display data in a way that is eye-catching. Pictures can be used to represent any quantity.

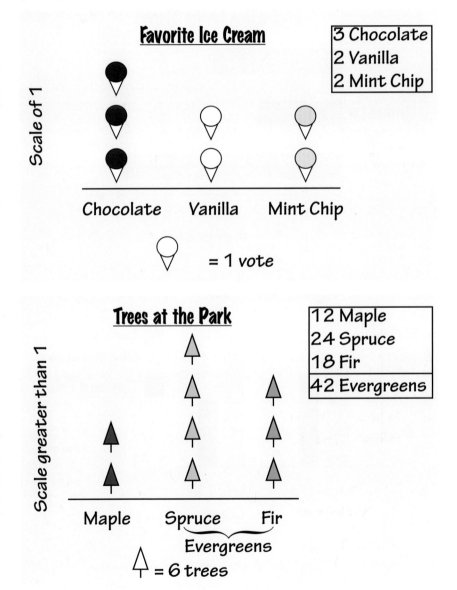

Favorite Ice Cream

3 Chocolate
2 Vanilla
2 Mint Chip

Scale of 1

Chocolate   Vanilla   Mint Chip

= 1 vote

Trees at the Park

12 Maple
24 Spruce
18 Fir
42 Evergreens

Scale greater than 1

Maple   Spruce   Fir

Evergreens

= 6 trees

Bar Graphs...

Bar graphs are used to display data that can be easily counted or measured.

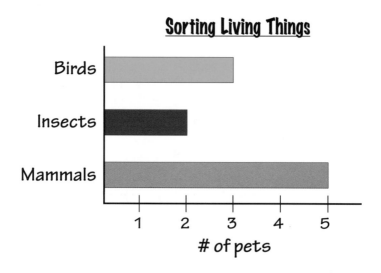

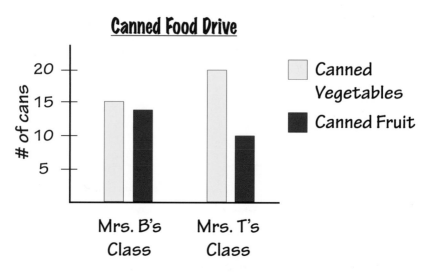

 Bar graphs do not touch because the bars represent different categories.

Line Plots (Dot Plots) ....

Line plots are used to help the viewer quickly identify the **range** (difference between the greatest and smallest value) and **mode** (most frequently occurring value) of the data. Each dot represents exactly one of the items being measured.

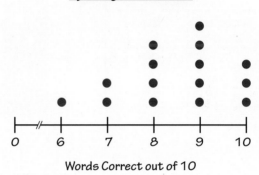

Spelling Test Scores

I see that out of the 15 students who took the test, everyone got between 6 and 10 words correct.

Words Correct out of 10

Student Measurements of Bamboo Shoots

I see that 4 bamboo shoots are $14\frac{1}{2}$ inches tall, and that more bamboo shoots measured this height than any other height.

Height of Bamboo in Inches

 Notice that although the number line starts at zero, the lowest data value is $13\frac{1}{2}$. You do not need to include all numbers between zero and the lowest data value, and the double slash indicates this.

Histograms...

A **histogram** is a special kind of bar graph that shows how data falls into equal ranges or intervals that is displayed on a number line.

Number of Weeks on Top-200 Songs Chart (as of March 8)	
Number of Weeks	**Frequency**
1-20	16
21-40	6
41-60	1
61-80	2

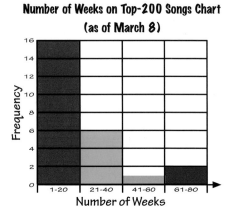

Number of Weeks on Top-200 Songs Chart (as of March 8)

Notice in the chart and graph above that the intervals (number of weeks) are equal and in the graph there is no space between the bars.

Systematic Listing & Counting.....................

When combining different types of objects, it is sometimes necessary to find out how many different combinations can be created. The number of possible combinations can be found using organized lists or multiplication.

How many ways can you combine the articles of clothing shown below using exactly one type of shirt, one type of pants, and one type of shoes?

Shirts:

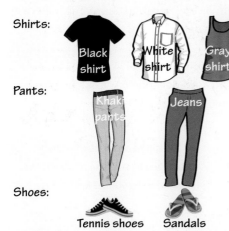

Black shirt   White shirt   Gray shirt

Pants:

Khaki pants   Jeans

I can make a list, chart or even a tree diagram and then count all of the possible combinations.

Shoes:

Tennis shoes   Sandals

There are 12 possible outfits!

	1	2	3	4	5	6	7	8	9	10	11	12
Black shirt	X	X	X	X								
White shirt					X	X	X	X				
Gray shirt									X	X	X	X
Khaki pants	X	X			X	X			X	X		
Jeans			X	X			X	X			X	X
Tennis shoes	X		X		X		X		X		X	
Sandals		X		X		X		X		X		X

 When there are 2 or more choices to make, you can also find the number of possible combinations by simply multiplying the number of options for each choice.

3 shirts x 2 pants x 2 shoes = 3 x 2 x 2 = 12 possible outfits

Statistical Variability ....

Variability refers to how "spread out" a group of measurements is. To be a **statistical question**, one would expect the answers to be "spread out" or to show variability in the answers.

For example: The question "How old are you?" has only a single numerical answer. When asked of all the kids in a school, the question "How old are you?" becomes a **statistical question**. The second question has many numerical answers. It has diversity or **variability** because a variety of answers are possible.

A set of data collected to answer a statistical question has a **distribution** which can be described by its **center**, **spread**, and **overall shape**.

The **center** can be described by a single number that summarizes all of the values in the data set.

Mean, median and mode are common measures of center.

The **spread** or **variability** can be described by a single number that shows how the values in the data set vary.

Range, interquartile range and mean absolute deviation are all measures of variation.

The **overall shape** can be used to describe the set of data after it is displayed graphically.

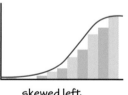
skewed left

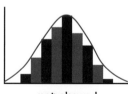
not skewed
(normal)

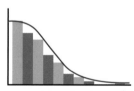
skewed right

Measures of Center/What is Typical? ....

To analyze data, you can look at what is typical or **average** within the data.

Data:

17, 20, 15, 17, 16

- The **mean** is the average of your data. You find it by adding all the values together and then dividing by the number of values. The mean is affected by extreme values so it may not be the best measure of center to use in a skewed distribution.

  Mean

  $$
  \begin{array}{r}
  17 \\
  20 \\
  15 \\
  17 \\
  +16 \\
  \hline
  85
  \end{array}
  \qquad
  \begin{array}{r}
  17 \\
  5\overline{)85}
  \end{array}
  $$

- The median is another measure of center. You find it by putting the data in order from least to greatest and then finding the middle number. When there isn't exactly one number in the middle, you add the two middle numbers together and divide by 2. The result will be the median. The median is probably the best measure of center to use in a skewed distribution.

  Median

  15, 16, 17, 17, 20

  Median (two middle numbers)

  15, 16, 17, 18, 19, 23

  $$\frac{17 + 18}{2} = \frac{35}{2} = 17\frac{1}{2}$$

- The mode is the value that occurs most often. There can be one mode, more than one mode or no mode at all. The mode is probably not affected by extreme values since it's unlikely the extreme values are the most common.

  Mode

  15, 16, 17, 17, 20

161

Measures of Variation/The Spread of Data

Measures of variation are important. They allow the reliability of measures of center to be evaluated. To describe a set of data appropriately, its variability must be described, otherwise there is the potential for data deception. Measures of variation also help guide how a graph of the data should look.

- The **range** is the difference between the biggest (greatest) and smallest (least) numbers in your data.

Range

$$20$$
$$-15$$
$$\overline{\textcircled{5}}$$

- The **interquartile range** is the range of the middle 50% of the values in a set of data. It is often used to construct a box plot to display the data (see page 164).

- The **mean absolute deviation** is the average distance between each data value and the mean of the set of data (see page 165).

Box Plots (Definitions) ....

Box plots (sometimes called **box-and-whisker plots**) are used to show how data is distributed along a number line.

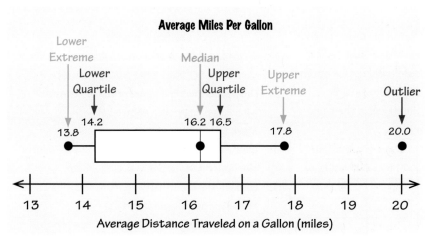

Average Miles Per Gallon

Average Distance Traveled on a Gallon (miles)

- **Lower extreme** - The lowest (smallest) piece of data.

- **Lower quartile** - The median of the lower half of an ordered set of data.

- **Median** - The middle number of a set of numbers arranged from least to greatest (**see page 160 for more about median**).

- **Upper quartile** - The median of the upper half of an ordered set of data.

- **Upper extreme** - The highest (largest) piece of data.

- **Outlier** - Any piece of data that is much smaller or larger than most of the other numbers in a set of data. <u>To find outliers:</u>

  ① Subtract the lower quartile from the upper quartile to find the box length (16.5 - 14.2 = 2.3).
  ② Multiply the box length by 1.5 (2.3 × 1.5 = 3.45).
  ③ Add the answer from step ② to the upper quartile (16.5 + 3.45 = 19.95).
  ④ Subtract the answer from step ② from the lower quartile (14.2 - 3.45 = 10.75).
  ⑤ Outliers will be any value greater than the answer from step ③ (19.95) or less than the answer from step ④ (10.75).

Box Plots (Example)......................................

A **box plot** displays the **median, quartiles** and **outliers** in a set of data, but does not display specific values. It shows how the middle values are spread out and if any data is too far from the middle.

The local movie theater recorded their ticket sale earnings for seven days. The data is displayed in the table below:

Day	Earnings
1	$400
2	$450
3	$500
4	$625
5	$650
6	$580
7	$600

Creating a Box Plot

1. Write the data in order from least to greatest:
   400, 450, 500, 580, 600, 625, 650
2. Draw a number line appropriate to the data with equal intervals (shown below).
3. Mark the median - 580.
4. Look at the upper half and mark the median of the upper half (upper quartile) - 625.
5. Look at the lower half and mark the median of the lower half (lower quartile) - 450.
6. Mark the upper and lower extremes (the smallest and largest numbers) - 650, 400.
7. Draw a box between the upper quartile and lower quartile. Split the box by drawing a line through the median. Draw two "whiskers" from the quartiles to the extremes.

Local Movie Ticket Sales

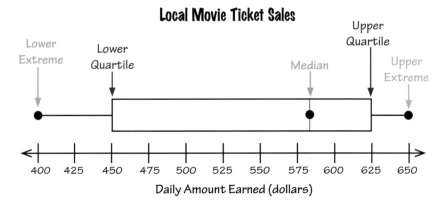

Daily Amount Earned (dollars)

This box length is called the **interquartile range**. It is the difference between the lower quartile (25th percentile) and the upper quartile (75th percentile).

Mean Absolute Deviation......................................

The **mean absolute deviation** is the average distance between each data value and the mean of the set of data. It is one way to find how consistent a set of data is. It is a measure of variability.

How to determine the mean absolute deviation:

William's Test Scores
80, 100, 94, 88, 90, 94

① Find the mean (average): add all the numbers and divide by the number of values.

① Mean of William's test scores : $\dfrac{80 + 100 + 94 + 88 + 90 + 94}{6}$ = 91

②

Data Point	Mean	Difference
80 -	91 =	-11
100 -	91 =	9
94 -	91 =	3
88 -	91 =	-3
90 -	91 =	-1
94 -	91 =	3

② Subtract the mean from each data point.

③ Take the absolute value of each difference (so they are all positive numbers).

③

Difference	-11	9	3	-3	-1	3
Absolute Value	11	9	3	3	1	3

④ Find the mean of the absolute values.

④ Mean of absolute values (mean absolute deviation) : $\dfrac{11 + 9 + 3 + 3 + 1 + 3}{6} = \dfrac{30}{6} = 5$

The **mean absolute deviation** of Will's test scores is 5. This tells us that Will's data is fairly consistent.

A **mean absolute deviation** of 5 means that, on average, the spread of Will's test scores is 5 spaces away from the mean in either direction.

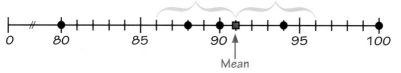

Standards Index

3.MD.D.8	146	4.NF.B.4	87, 88
3.NBT.A.1	18, 19	4.NF.C.5	6, 96, 97
3.NBT.A.2	14, 31, 32, 33, 34	4.NF.C.6	6, 96, 97
3.NBT.A.3	15, 45, 62	4.NF.C.7	9
3.NF.A.1	74, 75, 76	4.OA.A.1	12, 41, 42
3.NF.A.2	75, 76, 78	4.OA.A.2	50
3.NF.A.3	75, 78, 79, 80	4.OA.A.3	29, 58
3.OA.A.1	12, 38, 39, 40, 41,	4.OA.B.4	62, 63, 65, 66
	44, 63	4.OA.C.5	109
3.OA.A.2	12, 38, 39, 40, 50		
3.OA.A.3	40, 41, 50		
3.OA.A.4	39, 40, 41, 50		

5th GRADE

5.G.A.1	116, 117
5.G.A.2	118
5.G.B.3	122, 123, 124, 125,
	126, 128, 129, 131
5.G.B.4	122, 123, 124, 125,
	128, 129, 130, 131, 132

3.OA.B.5	15, 44, 45, 46	
3.OA.B.6	39	
3.OA.C.7	39, 43	
3.OA.D.8	18, 29, 58	
3.OA.D.9	43, 61	

5.MD.A.1	140, 141, 142
5.MD.B.2	157
5.MD.C.3	150
5.MD.C.4	150
5.MD.C.5	150, 151
5.NBT.A.1	6, 7, 42, 97
5.NBT.A.2	45
5.NBT.A.3	6, 7, 9
5.NBT.A.4	20
5.NBT.B.5	48
5.NBT.B.6	15, 39, 50, 51, 52, 54
5.NBT.B.7	15, 36, 49, 55
5.NF.A.1	79, 84, 85
5.NF.A.2	86
5.NF.B.3	56, 57, 92
5.NF.B.4	88, 89, 90, 147
5.NF.B.5	42, 89
5.NF.B.6	87, 88, 89, 90, 91
5.NF.B.7	87, 92
5.OA.A.1	12, 16
5.OA.A.2	107
5.OA.B.3	109, 117, 119

4th GRADE

AZ.4.OA.A.3.1	159
4.G.A.1	123, 125
4.G.A.2	123, 125, 130, 131, 132
4.G.A.3	124
4.MD.A.1	140, 141
4.MD.A.2	58, 87, 139
4.MD.A.3	146
4.MD.A.4	50
4.MD.B.4	157
4.MD.C.5	126
4.MD.C.6	127
4.MD.C.7	127
4.NBT.A.1	42, 45
4.NBT.A.2	4, 5
4.NBT.A.3	8, 18, 19
4.NBT.B.4	31, 35, 47
4.NBT.B.5	15, 46
4.NBT.B.6	15, 50, 51, 52, 54
4.NBT.B.7	14
4.NF.A.1	79
4.NF.A.2	21, 81, 82
4.NF.B.3	76, 84, 85
4.NF.B.3b	77
4.NF.B.3d	86

6th GRADE

Topic Index

Rodel's Commitment to Math

The Rodel Foundation of Arizona is committed to improving Arizona's pre-kindergarten through grade 12 public education system so that it is widely recognized as one of the best in the country by 2020. We focus our attention on math because **we know students who do well in math tend to be successful across the board.**

If you can help your student master the fundamentals of math, he or she will have the foundation to be successful in higher-level math and confident when dealing with real-world problem solving. It can be tempting to dismiss math because you think you'll never use it. Nothing could be further from the truth. **We use math all day, every day**: from counting change, figuring out how much to tip, knowing how many miles your car goes on a gallon of gas, estimating how long it will take you to get somewhere based on how far away it is, and more. There's no escaping math, it's a useful and essential tool for our everyday lives. Being good at math also opens the doors to the cutting edge careers in science, engineering and technology.

So thanks for helping! You might even find you enjoy the confidence that comes from mastering math. It's time well-spent for you and your student. **Don't forget, the real secret to success is enthusiasm!**

Thank You!

In addition to the generous funding from the **Helios Education Foundation**, we would like to acknowledge the work of a few groups and individuals who made this guide possible:

Beaver Creek School, Echo Mountain
Primary School, Eloy Intermediate School
and Joseph Zito Elementary School.

Katherine Shattuck Basham, Chryste Berda, Charmaine Bolden, Jeanette Collins, Andrea Dunne, Jennifer Foley, Megan Frankiewicz, Roseanna Gonzales, Vicki Johnson, Sylvia Mejia, Dr. Kimberly Rimbey, Jamie Robarge, and Shari Stagner.

The Rodel Staff.

We would also like to acknowledge **all of the school and district leaders, teachers, students, and families who are working tirelessly to teach and learn math.** This guide was created for you and we hope you find it helpful in your ongoing exploration of problem solving!

Potencia de Matemáticas

Soluciones Simples para Dominar Matemáticas

Potencia de Matemáticas: Soluciones Simples para Dominar Matemáticas

Los libros pueden comprarse en cantidad y/o ofertas especiales
contactando a Rodel:

> 6720 N. Scottsdale Rd. Suite 310
> Scottsdale AZ 85253
> 480-367-2920
> www.rodelaz.org

ISBN: 978-0-9961865-2-0

Segunda edición.

Fabricado en Canadá.

www.rodelaz.org

Un Gran Agradecimiento

A la generosidad de Helios Education Foundation por transformar la idea de una guía de matemáticas para la familia en realidad. ¡Realmente quieren que usted y su estudiante aprendan a amar las matemáticas!

La Helios Education Foundation está dedicada a crear oportunidades para que las personas de Arizona y Florida tengan éxito en la educación postsecundaria. Desde su inicio en 2004, la Fundación ha invertido millones de dólares en programas e iniciativas relacionados con la educación en ambos estados.

¡Hola, Solucionador de Problemas!

Este es un libro de matemáticas, pero no se asuste ni lo cierre. Sabemos lo que está pensando, "*¡No puedo hacerlo; no soy bueno en matemáticas!*" **Todos podemos ser buenos en matemáticas**; a veces solo se requiere más esfuerzo para aprenderlas que otras cosas.

No sea demasiado exigente consigo mismo, y recuerde **ser positivo cuando hable con sus hijos sobre las matemáticas.** Si ellos lo escuchan decir que las matemáticas son difíciles, o que usted no puede aprender las matemáticas, probablemente van a pensar lo mismo. Las matemáticas y las destrezas de resolución de problemas son actualmente cada vez más importantes para el éxito en la vida, y los estudiantes (y familias) que se esfuerzan durante la educación primaria estarán listos para los desafíos del futuro.

Hoy, los niños están aprendiendo matemáticas de una manera nueva. Hay mayor enfoque en que los estudiantes comprendan por qué y cómo funcionan las matemáticas, en vez de correr a buscar la respuesta correcta. **Este libro está diseñado para ayudarlo a ayudarlos.**

Algunas de las descripciones pueden parecer diferentes de la manera en la que usted aprendió matemáticas, ¡pero no se preocupe! Las explicaciones están escritas en español sencillo (para explicaciones en inglés, ¡dé vuelta su libro!) y los conceptos comunes de matemáticas se definen sencillamente.

Recuerde, lo más importante que puede hacer para ayudar a sus hijos con las matemáticas es enseñarles que los desafíos de las matemáticas son como los desafíos de la vida: mientras más practiquen, más mejorarán. **¿Quién sabe? ¡Quizás usted y su hijo terminen amando juntos las matemáticas!**

Cómo Usar este Libro

Este no es el tipo de libro que se lee de principio a fin, así que vamos a tomar un momento para mostrarle cómo está armada esta guía.

Hay 16 capítulos con código de color que se pueden usar para ubicar un tema rápidamente, y usted puede saltar para encontrar justo lo que necesita saber. Los capítulos empiezan con temas básicos y entran en más detalle a medida que usted avanza hacia el final. En la página siguiente verá una lista de todos los temas diferentes de matemáticas cubiertos en este libro. **Busque el color correspondiente en la orilla de la página para encontrar directamente al capítulo.**

También hay dos herramientas adicionales al final de la sección en español de este libro para ayudarlo a localizar problemas específicos de matemáticas, el **Índice de Estándares** y el **Índice de Temas**.

Índice de Estándares

Si ve un código extraño a un lado de un problema semejante a este: **4.NBT.B.5**, el primer número es el más importante, porque representa el nivel de grado. El resto del código lo usan los maestros para saber qué problemas son semejantes. Estos se llaman "estándares" y se pueden buscar en el **Índice de Estándares** al final de esta guía. El Índice de Estándares está clasificado por nivel de grado, desde Kindergarten hasta 6° grado.

Índice de Temas

Si usted busca una palabra o frase que no se encuentre fácilmente en los capítulos, puede buscarla en el **Índice de Temas** al final de esta guía. Digamos que tiene un problema que le pide dibujar una recta numérica, pero usted no tiene idea de lo que es una recta numérica. Solo busque "recta numérica" en el Índice de Temas y encontrará las páginas que muestran ejemplos. El Índice de Temas está en orden alfabético, de la A a la Z.

Ahora que ya ha entendido un poco de la guía, **¡es hora de tomar un lápiz y ayudar a su estudiante a convertirse en un solucionador de problemas de matemáticas!**

Temas de Matemáticas

Valor Posicional de Números Enteros y Decimales

Los niños vienen a la escuela con un sentido natural de cantidades y números, pero ellos necesitan instrucción para entender nuestro sistema numérico. Durante los grados primarios, la base para todo el sistema numérico se construye al desarrollar una comprensión del valor posicional.

Unidades y Decenas en un Marco de Diez......

Un **marco de diez** es una matriz (grupo) de cuadrados que pueden fácilmente usarse para visualizar números entre 0 y 10, y cómo los números pueden combinarse o separarse.

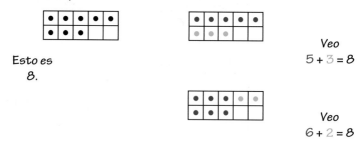

Esto es
8.

Veo
$5 + 3 = 8$

Veo
$6 + 2 = 8$

Separar en unidades es entender que el número "diez" puede pensarse como 1 grupo de diez y 10 unidades individuales.

34

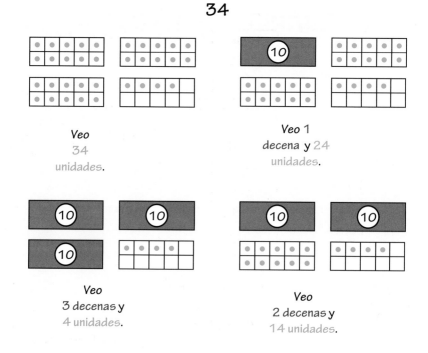

Veo
34
unidades.

Veo 1
decena y 24
unidades.

Veo
3 decenas y
4 unidades.

Veo
2 decenas y
14 unidades.

Valor Posicional de Números Enteros ....

Los números de varios dígitos pueden entenderse al mirar de cerca el **valor posicional** de cada dígito.

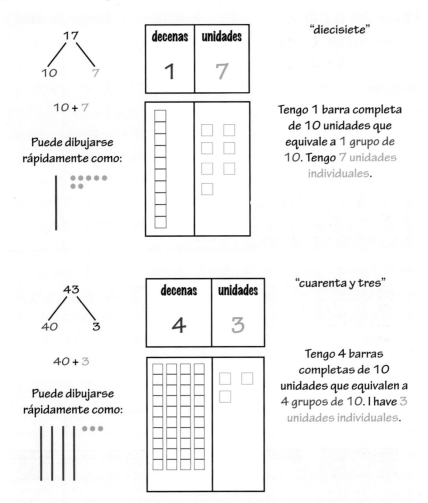

17

10   7

"diecisiete"

decenas	unidades
1	7

10 + 7

Puede dibujarse rápidamente como:

Tengo 1 barra completa de 10 unidades que equivale a 1 grupo de 10. Tengo 7 unidades individuales.

43

40   3

"cuarenta y tres"

decenas	unidades
4	3

40 + 3

Puede dibujarse rápidamente como:

Tengo 4 barras completas de 10 unidades que equivalen a 4 grupos de 10. I have 3 unidades individuales.

Se necesitan 10 unidades para hacer 1 decena.
Se necesitan 10 decenas para hacer 1 centena.
Se necesitan 10 centenas para hacer 1 millar.

Veo una relación de 10 a 1. 10 unidades iguales hacen 1 unidad del próximo valor más alto.

3

Valor Posicional de Números Enteros (continúa) ....

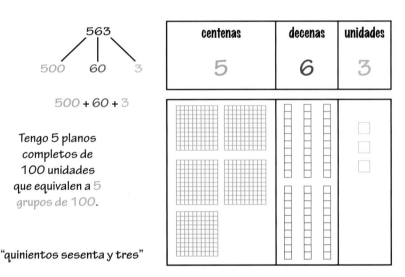

563

500   60   3

500 + 60 + 3

Tengo 5 planos
completos de
100 unidades
que equivalen a 5
grupos de 100.

centenas	decenas	unidades
5	6	3

"quinientos sesenta y tres"

Tengo 7 cubos
llenos de 1,000
unidades que
equivalen a 7
grupos de 1,000.

7,429

7,000   400   20   9

7,000 + 400 + 20 + 9

millares	centenas	decenas	unidades
7	4	2	9

"siete mil cuatrocientos veintinueve"

Valor Posicional de Números Enteros (continúa) ....

Tengo 4 barras grandes de 10,000 unidades que equivalen a 4 grupos de 10,000.

$$40,000 + 1,000 + 700 + 10 + 9$$

decenas de millar	millares	centenas	decenas	unidades
4	1	7	1	9

"cuarenta y un mil setecientos diecinueve"

_____ , _____ _____ _____ , _____ _____ _____

millones

centenas de millar

decenas de millar

millares

centenas

decenas

unidades

Valor Posicional de Números Decimales.......

Se puede usar un **decimal** para presentar un número que es menos que un entero. Los decimales se usan comúnmente para representar dinero.

Piense Sobre Dinero

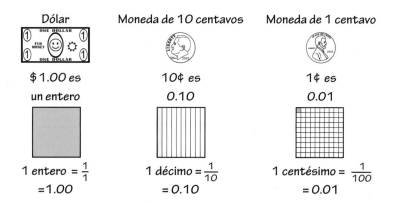

Dólar	Moneda de 10 centavos	Moneda de 1 centavo
$ 1.00 es un entero	10¢ es 0.10	1¢ es 0.01
1 entero = $\frac{1}{1}$ =1.00	1 décimo = $\frac{1}{10}$ = 0.10	1 centésimo = $\frac{1}{100}$ = 0.01

Se necesitan 10 monedas de 1 centavo para tener 1 moneda de 10 centavos y 10 monedas de 10 centavos para tener 1 dólar.

¡Entonces se necesitan 10 centésimos para hacer 1 décimo y 10 décimos para hacer 1 entero!

 La relación 10 a 1 descrita con dinero funciona para todos los dígitos que están uno al lado del otro en el valor posicional de decimales al moverse de derecha a izquierda.

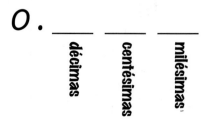

$$0.\underline{}\ \underline{}\ \underline{}$$

décimas   centésimas   milésimas

Valor Posicional de Números Decimales (continúa) ....

Un número decimal puede entenderse al mirar de cerca el **valor posicional** de cada dígito y viendo que toma diez del valor a la derecha para hacer uno del valor inmediatamente a la izquierda.

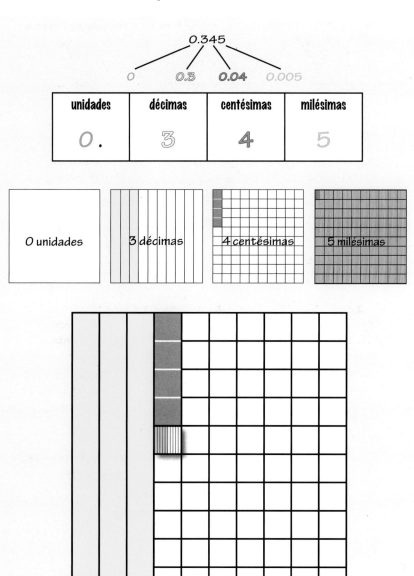

7

Comparación de Números ....

Tanto los números grandes como pequeños pueden compararse usando el valor posicional. Los símbolos >, = y < se usan para representar comparaciones (ver la página 12 para más información sobre símbolos matemáticos).

¿Cuál es menor, 13 o 18?

1 3   1 8

Este número tiene 1 decena y 3 unidades.   Este número tiene 1 decena y 8 unidades.

Ambos números tienen 1 decena, pero 3 unidades es menos que 8 unidades, entonces 13 es menos que 18.

13 < 18

"13 es menor que 18"

¿Cuál es mayor, 845 o 799?

8 4 5   7 9 9

Empezaré con el valor posicional mayor. Aquí es el lugar de las centenas.

Este número tiene 8 grupos de 100 u 8 centenas.   Este número tiene 7 grupos de 100 o 7 centenas.

Debido a que 8 centenas siempre serán más que 7 centenas, 845 es mayor que 799.

845 > 799

"845 es mayor que 799"

Comparación de Decimales ....

Debido a que el sistema numérico es uniforme, los estudiantes pueden usar el mismo valor posicional para comparar números mayores y números menores.

¿Cuál es mayor, 0.09 o 0.2?

0.09   0.2

Empezaré con el valor posicional mayor. Aquí es el lugar de las décimas.

 Este número tiene 0 unidades, 0 décimas, y 9 centésimas.

 Este número tiene 0 unidades y 2 décimas.

Debido a que 0 décimas es menor que 2 décimas, 0.09 es menor que 0.2.

0.09 < 0.2

"0.09 es menor que 0.2"

¿Cuál es mayor, 0.18 o 0.173?

0.18   0.173

Debido a que los valores en el lugar de las décimas son iguales, compararé el siguiente valor posicional mayor, el lugar de las centésimas.

Este número tiene 0 unidades, 1 décima y 8 centésimas.

Este número tiene 0 unidades, 1 décima, 7 centésimas, y 3 milésimas.

Ambos números tienen cero unidades y 1 décima. Debido a que 8 centésimas es más que 7 centésimas, 0.18 es mayor que 0.173.

0.18 > 0.173

"0.18 es mayor que 0.173"

9

Símbolos y Propiedades Matemáticos

Los símbolos matemáticos se usan para comunicar en matemáticas, como las palabras se usan para comunicar en el lenguaje. Cada símbolo expresa un significado especial y debe usarse precisamente.

Las propiedades matemáticas son reglas que hacen que las matemáticas funcionen. Muchas propiedades parecen obvias y los niños pueden descubrir y usar estas antes que se las enseñen formalmente.

Símbolos Matemáticos Usados Comúnmente....

Los símbolos matemáticos se usan para comunicar en matemáticas, de la misma manera que las palabras se usan para comunicar en el lenguaje. Cada símbolo expresa un significado especial y debe usarse precisamente.

Símbolo	Se Lee Como	Explicación / Ejemplo	
$=$	es igual a, tiene el mismo valor o cantidad que	$3 + 5 = 8$ $3 + 5$ tiene el mismo valor que 8	
$\neq$	NO es igual a, NO es el mismo valor o cantidad que	$4 + 2 \neq 10$ $4 + 2$ NO tiene el mismo valor que 10	
$+$	más, suma, adición	$12\frac{1}{2} + 8 = 20\frac{1}{2}$ $12\frac{1}{2}$ más 8 tiene el mismo valor que $20\frac{1}{2}$	
$-$	menos, sacar, restar	$9 - 4$ 9 menos 4 es igual a 5 de 9 saca 4 y es igual a 5 resta 4 de 9 y el valor es 5	
$\times, \cdot, *, (\,)$	tantas veces, multiplica por, grupos de	$3.5 \times 7 = 24.5$ 3.5 grupos de 7 son iguales a 24.5	$14\,(b) = 14b$ 14 veces b tiene el mismo valor que $14b$
$\div, /, \frac{x}{y}, \sqrt{}$	dividido entre, dividido en grupos	$6.8 \div 2 = 3.4$ 6.8 dividido entre 2 grupos es la misma cantidad que 3.4	$\frac{3}{4}$ 3 dividido entre 4
$<$	es menor que	$19 < 20$ 19 es menor que 20	
$>$	es mayor que	$14.25 > 14.193$ 14.25 es mayor que 14.193	
$(\,)$	la cantidad de	$15 - (7+3) = 5$ 15 menos la cantidad de 7 más 3 (10) tiene el mismo valor que 15 menos 10, o 5	

El Símbolo de Igual ....

El **símbolo de igual** muestra cómo los valores o cantidades a ambos lados del signo se relacionan entre sí. Además de la palabra "igual", uno puede decir "tiene el mismo valor que" o "es la misma cantidad que" para el signo de igual cuando se lee la ecuación.

$$3 + 2 = 5$$
$$\vee$$
$$5 = 5$$

"Tres más dos es la misma cantidad que cinco."

$$6 = 7 - 1$$
$$\vee$$
$$6 = 6$$

"Seis tiene el mismo valor que siete menos uno."

$$15 + 9 = 12 + 12$$

"Quince más nueve es la misma cantidad que doce más doce."

$$4 + 1 = x + 3$$

"Cuatro más uno tiene el mismo valor que algún número más tres."

$$5 = 5$$
$$3 + 2 = 5$$
$$5 = 3 + 2$$
$$3 + 2 = 3 + 2$$
$$2 + 3 = 3 + 2 = 5$$
$$6 - 1 = 5$$

Estos valores y cantidades son iguales porque los valores son los mismos en ambos lados del signo de igual. No importa a qué lado del signo de igual aparece la expresión.

Propiedades de la Suma ....

Las **propiedades de la suma** son reglas matemáticas que hacen que la suma funcione. Son a menudo descubiertas en los grados primarios y luego muy usadas en álgebra.

Propiedad de Identidad

$$a + 0 = a$$

Al sumar 0 a cualquier número, el número no cambia.

$$5 + 0 = 5$$
$$0 + 14.93 = 14.93$$

Propiedad Conmutativa

$$a + b = b + a$$

Cuando se suman dos números, la suma es la misma sin importar el orden de los sumandos.

$$3 + 4 = 4 + 3$$
$$12\tfrac{1}{2} + 4\tfrac{3}{4} = 4\tfrac{3}{4} + 12\tfrac{1}{2}$$

Propiedad Asociativa

$$(a + b) + c = a + (b + c)$$

Cuando tres o más números se suman, la suma es la misma sin importar cómo se agrupan los números.

$$1 + (2 + 3) = (1 + 2) + 3$$

Propiedades de la Multiplicación.................

Las **propiedades de la multiplicación** son reglas matemáticas que hacen que la multiplicación funcione. Son a menudo descubiertas en grados intermedios y luego muy usadas en álgebra.

Propiedad de Identidad

$$a \times 1 = a$$

Al multiplicar cualquier número (o variable) por 1, el producto es el número (o variable) mismo.

$$18 \times 1 = 18$$

$$1 \times 4\tfrac{1}{2} = 4\tfrac{1}{2}$$

Propiedad Conmutativa

$$a \times b = b \times a$$

Cuando se multiplican dos números, el producto es el mismo sin importar el orden de los números.

$$17 \times 12 = 12 \times 17$$

$$14.29 \times 18 = 18 \times 14.29$$

Propiedad Asociativa

$$(a \times b)\, c = a\, (b \times c)$$

Cuando tres o más números se multiplican, el producto es el mismo sin importar cómo se agrupan los números.

$$(5 \times 3)\, 4 = 5\, (3 \times 4)$$

Propiedad Distributiva de Multiplicación Sobre la Suma

$$a\,(b + c) = (a \times b) + (a \times c)$$

Cuando se multiplica una suma, se puede multiplicar cada sumando separadamente y luego sumar los productos.

$$3(4 + 2) = (3 \times 4) + (3 \times 2)$$

$$5(y + 2) = 5y + (5 \times 2)$$

15

Orden de las Operaciones.................................

El **orden de las operaciones** asegura que todos sigamos los mismos pasos cuando resolvemos problemas de varios pasos.

Las reglas:

① Primero, haga las operaciones entre paréntesis.

② Segundo, haga los exponentes.

③ Tercero, multiplique y divida de izquierda a derecha.

④ Cuarto, sume y reste de izquierda a derecha.

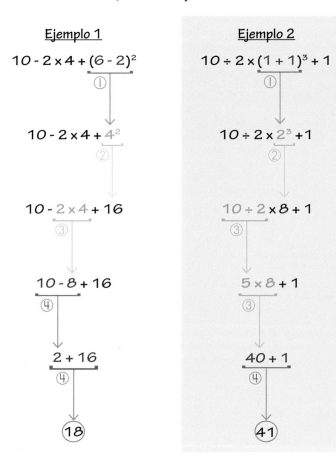

Estimación (incluyendo redondear)

La estimación no es solo una herramienta para matemáticas, es una herramienta para la vida. Usamos la estimación cuando no necesitamos una respuesta exacta, solo una respuesta "aproximada." En la vida, podríamos usar estimación como una manera rápida de saber "cuánto cambio aproximado" deberíamos recibir. En matemáticas, podríamos usar estimación para saber cuál podría ser una respuesta "aproximada" a un problema, para poder decidir si la respuesta es razonable. Los números, computaciones y medidas pueden todos ser estimados.

Estimación (incluyendo redondear) ....

Estimar es hallar un número cercano a la cantidad exacta. Esto puede hacerse determinando qué **punto de referencia** o **número amigable** está más cerca. Un **número de referencia** es un número que termina en 0 o 5. Un **número amigable** es un número con el cual es fácil trabajar.

Números de referencia

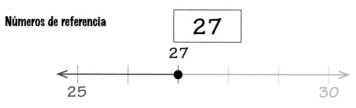

27 está 2 lejos de 25 y 3 lejos de 30.
Entonces, 25 es el **número de referencia** más cercano a 27.

Redondear

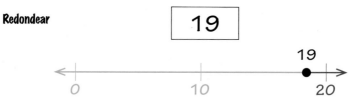

19 está solo a 1 lejos de 20 y 9 lejos de 10.
Entonces, 19 debe **redondearse** a 20.

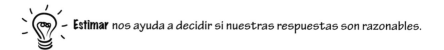

Estimar nos ayuda a decidir si nuestras respuestas son razonables.

Sé que 12 está cerca de 10 y 19 está cerca de 20. Puedo **estimar** que la respuesta sería alrededor de 10 + 20, que es 30.

Real: $12 + 19 = 31$

Estimación: $10 + 20 = 30$

Redondeo de Números Grandes ....

Los números pueden redondearse a diferentes valores posicionales. A veces es necesario redondear un número a un **valor posicional** específico.

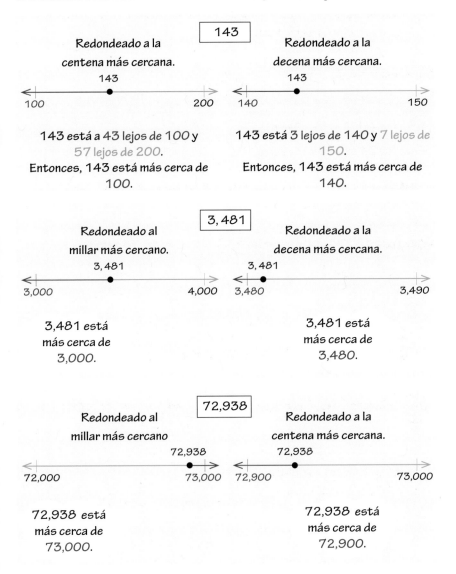

143

Redondeado a la
centena más cercana.
143

100 ———●——— 200

143 está a 43 lejos de 100 y
57 lejos de 200.
Entonces, 143 está más cerca de
100.

Redondeado a la
decena más cercana.
143

140 ———●——— 150

143 está 3 lejos de 140 y 7 lejos de
150.
Entonces, 143 está más cerca de
140.

3,481

Redondeado al
millar más cercano.
3,481

3,000 ———●——— 4,000

3,481 está
más cerca de
3,000.

Redondeado a la
decena más cercana.
3,481

3,480 —●——— 3,490

3,481 está
más cerca de
3,480.

72,938

Redondeado al
millar más cercano
72,938

72,000 ———●——— 73,000

72,938 está
más cerca de
73,000.

Redondeado a la
centena más cercana.
72,938

72,900 ———●——— 73,000

72,938 está
más cerca de
72,900.

Redondeo de Decimales...

Los números decimales pueden redondearse a números enteros o a un **valor posicional decimal** específico.

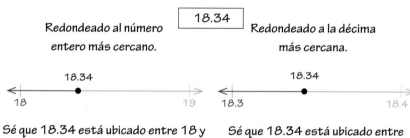

Redondeado al número entero más cercano.

18.34

Redondeado a la décima más cercana.

18.34

Sé que 18.34 está ubicado entre 18 y 19 en la recta numérica.

18.34 está 0.34 o $\frac{34}{100}$ lejos de 18 y

0.66 o $\frac{66}{100}$ lejos de 19.

Entonces, 18.34 está más cerca de 18.

Sé que 18.34 está ubicado entre 18.3 y 18.4 en la recta numérica.

18.34 está 0.04 o $\frac{4}{100}$ lejos de 18.3 y

0.06 o $\frac{6}{100}$ lejos de 18.4.

Entonces, 18.34 está más cerca de 18.3.

Redondeado a la décima más cercana.

293.628

Redondeado a la centésima más cercana.

293.628 está más cerca de 293.6.

293.628 está más cerca de 293.63.

Estimación con Fracciones de Referencia....

Como un número de referencia, una **fracción de referencia** es una fracción con la cual es fácil trabajar como $0, \frac{1}{4}, \frac{1}{2}, \frac{3}{4}$ y 1.

Estimar Usando la Lógica

Redondeado a la fracción de referencia más cercana.

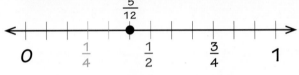

$\frac{5}{12}$ está más cerca a $\frac{1}{2}$.

Estimar Usando Fracciones Equivalentes

Estimado a la fracción de referencia más cercana.

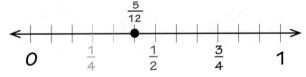

$$\frac{1}{2} = \frac{6}{12}$$
entonces $\frac{5}{12}$ es $\frac{1}{12}$
menos que la mitad.

Suma y Resta Usando el Valor Posicional

La suma y la resta se enseñan juntas porque son opuestas, lo que significa que una puede "anular" a la otra. Esto podría ser fácil para los adultos de ver, pero los niños normalmente no lo ven de esta manera al comienzo. Por eso, los maestros a menudo empiezan enseñando a sumar y restar con cuentos matemáticos. Usar cuentos matemáticos ayuda primero a los niños a que la relación entre la suma y la resta tenga sentido, ayudándolos a resolver problemas con facilidad.

Suma ....

La suma es "juntar" dos grupos de objetos y hallar cuántos hay en total. Los números que se suman juntos se llaman **sumandos**.

$$14 + 29 = 43$$

Sumandos   Suma

$$18 = 2 + 9 + 7$$

Total   Sumandos

La respuesta a un problema de suma se llama total o suma.

Resta ....

La resta es "separar" o "quitar de" un grupo de objetos removiendo uno o más objetos y hallando la diferencia o "cuántos quedan". La resta es también la comparación de dos grupos para hallar "cuántos más o menos" hay en cada grupo.

$$8 - 3 = 5$$

Diferencia

$$15 = 29 - 14$$

Diferencia

La respuesta a un problema de resta se llama diferencia.

La Relación Entre la Suma y la Resta..........

La suma y la resta son **operaciones inversas**. . Esto significa que son operaciones opuestas. Una puede anular a la otra.

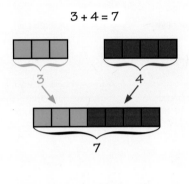

3 + 4 = 7

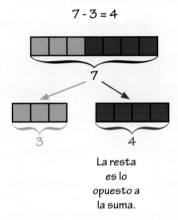

7 - 3 = 4

La resta
es lo
opuesto a
la suma.

Familia de Operaciones

8 + 4 = 12   4 + 8 = 12

12 - 8 = 4   12 - 4 = 8

Como la suma y la resta son opuestas, puedo usar datos de suma que conozco para ayudarme a resolver problemas de resta.

Tarjeta Triangular de Operaciones

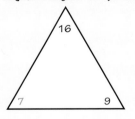

9 + 7 = 16   16 - 7 = 9

9 + 7 = 16   16 - 9 = 7

Puedo estudiar datos de suma y resta usando una tarjeta triangular de operaciones. Puedo cubrir cualquier número en el triángulo y usar la familia de operaciones para identificar el número que falta.

25

Escribir Ecuaciones para Cuentos Matemáticos de Suma y Resta.....................

Un cuento matemático puede tener una **variable** o número desconocido en lugares diferentes.

	Resultado Desconocido	Inicio Desconocido	Cambio Desconocido
Sumar a	5 conejitos estaban sentados en el pasto. 7 conejitos más vinieron saltando. ¿Cuántos conejitos hay ahora en el pasto? $5 + 7 = \square$	Algunos conejitos estaban sentados en el pasto. 7 conejitos más vinieron saltando. Entonces había 12 conejitos. ¿Cuántos conejitos estaban en el pasto antes? $\square + 7 = 12$	5 conejitos estaban sentados en el pasto. Algunos conejitos vinieron saltando. Ahora hay 12 conejitos. ¿Cuántos conejitos vinieron saltando? $5 + \square = 12$
Restar de	Había 12 manzanas en la mesa. Comí 5 manzanas. ¿Cuántas manzanas hay ahora en la mesa? $12 - 5 = \square$	Hay algunas manzanas en la mesa. Comí 5 manzanas. Entonces quedaron 7 manzanas. ¿Cuántas manzanas había antes? $\square - 5 = 7$	Había 12 manzanas en la mesa. Comí algunas manzanas y quedaron 7 manzanas. ¿Cuántas manzanas comí? $12 - \square = 7$

Escribir Ecuaciones para Cuentos Matemáticos de Suma y Resta (continúa)..

Un cuento matemático puede tener más de una **variable** o número desconocido en lugares diferentes.

	Total Desconocido	Sumando Desconocido	Ambos Sumandos Desconocidos*
Juntar / Separar	Hay 7 pelotas rojas y 5 pelotas verdes en una caja de juguetes. ¿Cuántas pelotas hay en la caja de juguetes? $7 + 5 = \square$	Hay 12 pelotas en la caja de juguetes. **7 son rojas y el resto verdes.** ¿Cuántas pelotas verdes hay en la caja de juguetes? $12 = 7 + \square$ $12 - 7 = \square$	Abuela tiene 7 flores y 2 floreros. ¿Cuántas flores puede colocar en su florero blanco **y cuántas puede colocar en su florero verde?** $7 = \square + \square$ *Ver página 28 para más información sobre cuentos matemáticos con varias respuestas.

	Diferencia Desconocida	Desconocido Mayor	Desconocido Menor
Comparar	Collin tiene 5 zanahorias. **Brian tiene 7 zanahorias.** ¿Cuántas zanahorias más tiene Brian que Collin? $5 + \square = 7$ $7 - 5 = \square$	Brian tiene 2 zanahorias más que Collin. Collin tiene 5 zanahorias. ¿Cuántas zanahorias tiene Brian? $2 + 5 = \square$ $5 + 2 = \square$	Brian tiene 2 zanahorias más que Collin. Brian tiene 7 zanahorias. ¿Cuántas zanahorias tiene Collin? $7 - 2 = \square$ $2 + \square = 7$

Cuentos Matemáticos de Suma y Resta .....

Hay cuatro tipos comunes de cuentos matemáticos de suma y resta.

Suma

Había 6 pájaros sobre una cerca. **3 pájaros más volaron ahí.** ¿Cuántos pájaros hay en la cerca ahora?

$6 + 3 = ?$

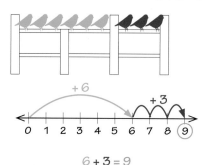

$6 + 3 = 9$

Juntar / Separar

Hay 9 panecillos en la mesa, **6 son de trigo integral y** el resto blancos. ¿Cuántos panecillos son blancos?

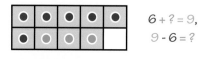

$6 + ? = 9,$
$9 - 6 = ?$

$6 + 3 = 9$ $9 - 6 = 3$

Resta

Había 9 naranjas en un tazón. Comí algunas naranjas. **Entonces quedaron 6 naranjas.** ¿Cuántas naranjas comí?

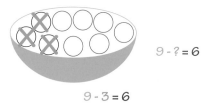

$9 - ? = 6$

$9 - 3 = 6$

Comparar

Sam tiene 3 crayones menos que Tim. Tim tiene 9 crayones. ¿Cuántos crayones tiene Sam?

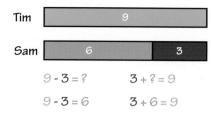

$9 - 3 = ?$ $3 + ? = 9$
$9 - 3 = 6$ $3 + 6 = 9$

 A veces los problemas tienen muchas respuestas posibles.

Taylor tiene 9 canicas. Algunas son rojas y otras son amarillas. ¿Cuántas canicas de cada color podría tener Taylor?

$9 = ? + ?$

1 roja + 8 amarillas   8 rojas + 1 amarilla ⎫
2 rojas + 7 amarillas   7 rojas + 2 amarillas ⎬ Estas son todas soluciones posibles porque cada una equivale a un total de 9 canicas.
3 rojas + 6 amarillas   6 rojas + 3 amarillas
4 rojas + 5 amarillas   5 rojas + 4 amarillas ⎭

Cuentos Matemáticos de Suma y Resta de Dos Pasos ....

Los cuentos matemáticos de dos pasos llevan dos acciones separadas para resolver.

$9 + 5 + 7 = \boxed{}$ $9 - 5 + 7 = \boxed{}$

Hay 9 pelotas azules y 5 pelotas rojas en la bolsa. **Kim colocó 7 pelotas más en la bolsa.** ¿Cuántas pelotas hay en total en la bolsa?

Hay 9 zanahorias en el plato. Susan comió 5 zanahorias. **Su mamá colocó 7 zanahorias más en el plato.** ¿Cuántas zanahorias hay ahora?

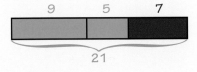

① $(9 + 5) + 7 = \boxed{}$
② $14 + 7 = 21$

① $(9 - 5) + 7 = \boxed{}$
② $4 + 7 = 11$

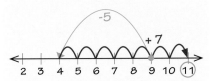

María tiene 9 manzanas. Corey tiene 4 manzanas menos que María. ¿Cuántas manzanas tienen en total?

① $9 + (9 - 4) = \boxed{}$
② $9 + 5 = 14$

Corey debe tener 5 porque $5 + 4 = 9$.

Si María tiene 9 manzanas y Corey tiene 5 manzanas, ellos tienen un total de 14 manzanas.

29

Suma de Números Enteros ....

Hay muchos métodos para **sumar números enteros**.

Contar Hacia Adelante

7 + 2   Comenzar con 7 y contar
2 más.

14 + 5   Comenzar con 14 y contar
5 más

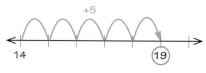

Hacer 10

Si sabe sus combinaciones de 10, puede combinar los sumandos y hacer que el problema sea amigable.

8 + 6
/\
2 4

17 + 9
/\
16 1

= 8 + (2 + 4)   = (16 + 1) + 9

= (8 + 2) + 4   = 16 + (1 + 9)

= 10 + 4   = 16 + 10

= 14   = 26

Descompongo (separo) el 6 en 2 + 4. De esa manera, puedo "hacer diez" de 8 + 2.

Usar Sumas Conocidas

6 + 7
= (6 + 6) + 1
= 12 + 1
= 13

Sé que 6 + 6 = 12, entonces 1 más sería 13.

4 + 11 + 8
= 4 + 3 + (8 + 8)
= 4 + 3 + 16
= 3 + (4 + 16)
= 3 + 20
= 23

Sé que 8 + 8 = 16, entonces descompuse el 11 en 3 y 8.

Sé que 16 + 4 = 20, entonces reordené los números para hacer 20, luego sumé 3.

Combinaciones de 10

0 + 10   10 + 0

1 + 9   9 + 1

2 + 8   8 + 2

3 + 7   7 + 3

4 + 6   6 + 4

5 + 5

Suma de Números Enteros más Grandes......

Pueden sumarse números al prestar atención al **valor posicional**.

Combinar 100, 10 y 1

$$
\begin{array}{r}
456 \\
+167 \\
\end{array}
$$

① Primero, sume las centenas.
② Segundo, sume las decenas.
③ Tercero, sume las unidades.
④ Cuarto, súmelos todos juntos.

④ $\begin{cases} 500 \\ 110 \\ +\ 13 \\ \hline 623 \end{cases}$ (400 + 100) ①
(50 + 60) ②
(6 + 7) ③

$$
\begin{array}{r}
1,298 \\
+973 \\
\end{array}
$$

① Primero, sume los millares.
② Segundo, sume las centenas.
③ Tercero, sume las decenas.
④ Cuarto, sume las unidades.
⑤ Quinto, súmelos todos juntos.

⑤ $\begin{cases} 1,000 \\ 1,100 \\ 160 \\ +\ 11 \\ \hline 2,271 \end{cases}$ (1,000 + 0) ①
(200 + 900) ②
(90 + 70) ③
(8 + 3) ④

Método Tradicional

Reagrupe 1 decena

$$
\begin{array}{r}
\overset{1}{1}8 \\
+24 \\
\hline
42
\end{array}
$$

Como 8 + 4 = 12, escriba 2 en el lugar de las unidades y reagrupe 1 decena.

1 decena más 1 decena más 2 decenas = 4 decenas.

Recuerde alinear sus **valores posicionales** y sumar de derecha a izquierda cuando usa el método tradicional.

Método Tradicional

Reagrupe 1 centena
Reagrupe 1 decena

$$
\begin{array}{r}
\overset{1}{4}\overset{1}{5}6 \\
+167 \\
\hline
623
\end{array}
$$

Como 6 + 7 = 13, escriba 3 en el lugar de las unidades y reagrupe 1 decena.

1 centena más 4 centenas más 1 centena = 6 centenas.

1 decena más 5 decenas más 6 decenas = 12 decenas. Escriba 2 en el lugar de las decenas y reagrupe 1 centena.

Resta Usando el Método de Suma..................

Puede usar la suma para ayudar a restar números grandes y pequeños.

Sumar en una Recta Numérica

$$24 - 19 = \boxed{} \qquad 19 + \boxed{} = 24$$

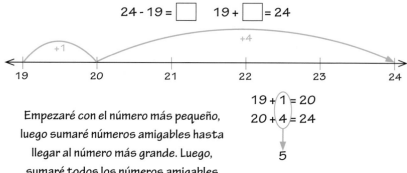

Empezaré con el número más pequeño, luego sumaré números amigables hasta llegar al número más grande. Luego, sumaré todos los números amigables juntos para hallar la diferencia.

$$19 + 1 = 20$$
$$20 + 4 = 24$$

5

Suma

Empezaré con el número más pequeño y sumaré números amigables hasta llegar al número más grande. Luego, sumaré todos los números amigables juntos para hallar la diferencia.

$$302 - 184 = \boxed{} \qquad 184 + \boxed{} = 302$$

$$184 + \boxed{6} = 190$$
$$190 + \boxed{10} = 200$$
$$200 + \boxed{100} = 300$$
$$300 + \boxed{2} = 302$$

$$= 118$$

+6   +10   +100   +2

184   190   200   300 302

Resta de Números Enteros.............................

Hay muchos métodos para **restar números enteros**. Algunos métodos funcionan mejor para números pequeños y otros funcionan mejor para números más grandes.

Descomponer (visualmente)

$$24 - 19 = \boxed{}$$

Dibuje el número inicial.

Tengo 2 decenas y 4 unidades, que es igual a 24.

Descomponga 1 decena en 10 unidades.

Ahora tengo 1 decena y 14 unidades, que es igual a 24.

Reste el segundo número.

Ahora tengo 0 decenas y 5 unidades, que es igual a 5.

Restar Hacia Atrás

$$24 - 19 = \boxed{}$$

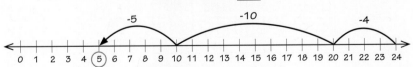

$$24 - 19 = 5$$

Resta de Números Enteros más Grandes .....

Grados 2 - 4

Descomponer (visualmente)

$$302 - 184 = \boxed{}$$

Grado 4 +

Método tradicional de EE.UU.

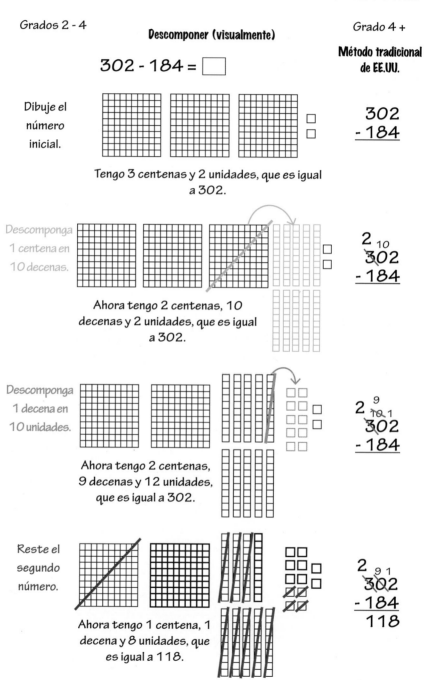

Dibuje el número inicial.

Tengo 3 centenas y 2 unidades, que es igual a 302.

$$\begin{array}{r} 302 \\ -184 \\ \hline \end{array}$$

Descomponga 1 centena en 10 decenas.

Ahora tengo 2 centenas, 10 decenas y 2 unidades, que es igual a 302.

$$\begin{array}{r} 2\,10 \\ \cancel{3}02 \\ -184 \\ \hline \end{array}$$

Descomponga 1 decena en 10 unidades.

Ahora tengo 2 centenas, 9 decenas y 12 unidades, que es igual a 302.

$$\begin{array}{r} 2\ ^{9}\cancel{10}\,1 \\ \cancel{3}02 \\ -184 \\ \hline \end{array}$$

Reste el segundo número.

Ahora tengo 1 centena, 1 decena y 8 unidades, que es igual a 118.

$$\begin{array}{r} 2\ 9\ 1 \\ \cancel{3}\cancel{0}2 \\ -184 \\ \hline 118 \end{array}$$

34

Resta Usando el Método Tradicional ....

Aquí hay algunos ejemplos de resta usando **el método tradicional de EE.UU.** El método tradicional de EE.UU. comienza a usarse en cuarto grado. Como la suma, los valores posicionales (columnas) deben "alinearse" para facilitar el reagrupado.

Sin Necesidad de Reagrupar

$$2,984$$
$$-\ \ \ 612$$
$$2,372$$

- Reste cada columna, empezando con las unidades y moviéndose a la izquierda.

Con Poca Necesidad de Reagrupar

$$1\overset{3\ 16}{\cancel{4}\cancel{6}}$$
$$-\ \ 38$$
$$108$$

- Reste las unidades... ¡no es suficiente! Necesita más.
- Use 1 decena. Como 1 decena = 10 unidades, cambie las decenas a 3 y sume 10 al valor posicional de las unidades.
- Ahora reste las unidades.

Con Mucha Necesidad de Reagrupar

$$-\ \ 754$$
$$289$$

- Reste las unidades... ¡no es suficiente! Use 1 decena, cambiando 4 decenas a 3 decenas y el 3 en el lugar de las unidades a 13 unidades. Ahora reste.
- Reste las decenas, ¡no es suficiente! ¡Oh, no! Hay un cero en el lugar de las centenas. Vaya al lugar de los millares. Como 1 millar = 10 centenas, use 1 centena (dejando 9 centenas en el lugar de las centenas), cambiando el 3 en el lugar de las decenas a 13 decenas. Ahora reste.
- Reste las centenas.

 El método tradicional de EE.UU. para la resta usa la descomposición escrita en taquigrafía.

Suma y Resta de Decimales ....

Sumar y restar decimales es muy parecido a sumar y restar números enteros. Los decimales deben "alinearse", igual que el valor posicional. Esto ayuda a mantener los valores posicionales juntos (decenas, unidades, décimas, etc.).

Suma de Decimales

5.213 + 3.3

- Escriba los números, uno debajo del otro con los puntos decimales alineados.
- Inserte ceros para que los números tengan la misma cantidad de lugares.
- Sume normalmente y lleve el punto decimal directamente abajo en la respuesta.

Resta de Decimales

5.213 - 3.3

- Escriba los números, uno debajo del otro con los puntos decimales alineados.
- Inserte ceros para que los números tengan la misma cantidad de lugares.
- Reste normalmente y lleve el punto decimal directamente abajo en la respuesta.

Multiplicación y División Usando el Valor Posicional

La multiplicación y la división se enseñan juntas porque, como la suma y la resta, son opuestas, lo que significa que "una anula a la otra". Esto podría ser fácil para los adultos de ver, pero los niños normalmente no lo ven de esta manera al comienzo. Por eso, los maestros a menudo empiezan enseñando la multiplicación y la división con cuentos matemáticos. Usar cuentos matemáticos ayuda primero a los niños a que la relación entre la multiplicación y división tenga sentido ayudándolos a resolver problemas con facilidad.

Multiplicación ....

La multiplicación es básicamente la combinación de grupos de igual tamaño para hallar cuántos en total. Los números multiplicados se llaman **factores**.

$$5 \times 7 = 35$$

Factores Producto

 Usamos varios símbolos para significar multiplicación.

$$35 = 5(7)$$

Producto Factores

La respuesta a un problema de multiplicación se llama producto.

$$3 \times 2 = 6$$
$$3 \cdot 2 = 6$$
$$3(2) = 6$$
$$3 * 2 = 6$$

División...

La división es básicamente la separación de un objeto o juego en partes o grupos iguales. El juego se llama **dividendo**, y el número de partes o grupos se llama **divisor**. La división puede representarse usando una fracción o una ecuación.

 Usamos varios símbolos para significar división.

$$12 \div 3 = 4$$

Dividendo Divisor Cociente

$$12 \div 3 = 4$$
$$\frac{12}{3} = 4$$
$$3\,\overline{)12} = 4$$
$$12\,/\,3 = 4$$

Dividendo $\longrightarrow \dfrac{12}{3} = 4 \longleftarrow$ Cociente
Divisor $\longrightarrow$

$4 \longleftarrow$ Cociente
Divisor $\longrightarrow 3\,\overline{)12} \longleftarrow$ Dividendo

La respuesta a un problema de división se llama cociente.

La Relación Entre la Multiplicación y la División..

La multiplicación y la división son **operaciones inversas**, lo que significa que son operaciones opuestas. Una anula a la otra.

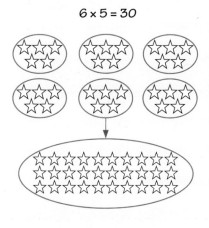

6 × 5 = 30

6 grupos de 5 son 30.

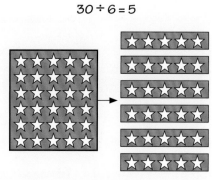

30 ÷ 6 = 5

30 se divide en 6 grupos iguales de 5 en cada grupo.

La división es lo opuesto a la multiplicación.

Familias de Operaciones

Una familia de operaciones es un grupo de todos los hechos relacionados a la multiplicación y división entre tres números relacionados.

8 × 7 = 56   56 ÷ 8 = 7
7 × 8 = 56   56 ÷ 7 = 8

¡Puedo usar hechos de multiplicación que sé para ayudarme a resolver problemas de división!

Operaciones de Triángulo

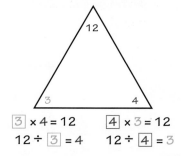

3 × 4 = 12   4 × 3 = 12
12 ÷ 3 = 4   12 ÷ 4 = 3

¡Puedo cubrir cualquier número en el triángulo y usar las operaciones de multiplicación o división para identificar el número que falta!

39

Escribir Ecuaciones para Cuentos Matemáticos de Multiplicación y División ....

Un cuento matemático de multiplicación o división pueden tener la **variable** o número desconocido en lugares diferentes.

Producto Desconocido

$$a \times b = \boxed{}$$

Hay 7 bolsas con 3 ciruelas en cada bolsa. ¿Cuántas ciruelas hay en total?

$$7 \times 3 = \boxed{}$$

Tamaño del Grupo Desconocido

$$a \times \boxed{} = c$$
$$c \div a = \boxed{}$$

Si 21 ciruelas se reparten uniformemente entre las 7 bolsas, ¿cuántas ciruelas hay en cada bolsa?

$$7 \times \boxed{} = 21$$
$$21 \div 7 = \boxed{}$$

Número de Grupos Desconocido

$$\boxed{} \times b = c$$
$$c \div b = \boxed{}$$

Si 21 ciruelas se empacan 3 por bolsa, ¿cuántas bolsas se necesitan?

$$\boxed{} \times 3 = 21$$
$$21 \div 3 = \boxed{}$$

Cuentos Matemáticos de Multiplicación ....

Hay tres tipos principales de problemas relacionados a la **multiplicación**.

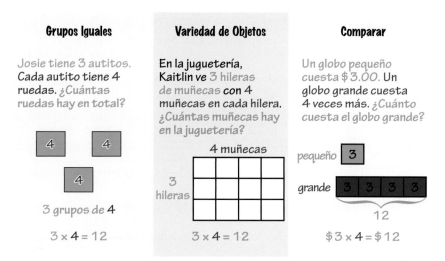

Grupos Iguales

Josie tiene 3 autitos. Cada autito tiene 4 ruedas. ¿Cuántas ruedas hay en total?

4   4

4

3 grupos de 4

3 x 4 = 12

Variedad de Objetos

En la juguetería, Kaitlin ve 3 hileras de muñecas con 4 muñecas en cada hilera. ¿Cuántas muñecas hay en la juguetería?

4 muñecas

3 hileras

3 x 4 = 12

Comparar

Un globo pequeño cuesta $ 3.00. Un globo grande cuesta 4 veces más. ¿Cuánto cuesta el globo grande?

pequeño   3

grande   3 3 3 3

12

$3 x 4 = $12

Cuando resuelve un problema de "comparar" en multiplicación, está usando la multiplicación como un **factor de escala**.

La **multiplicación** permite computar copias múltiples de un grupo del mismo tamaño sin tener que sumar repetidamente.

Una tienda tiene 27 cajas de barras de granola. Hay 9 barras en cada caja. ¿Cuántas barras de granola hay en total?

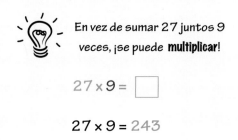

En vez de sumar 27 juntos 9 veces, ¡se puede **multiplicar**!

27 x 9 = ☐

27 x 9 = 243

Multiplicación como un Factor de Escala....

En los grados superiores, las expresiones de multiplicación pueden interpretarse en términos de una cantidad y un **factor de escala**. Un factor de escala es un número que escala o multiplica una cantidad. Cuando escala, típicamente está hallando cuántas veces mayor o menor es un tamaño cuando se compara con otro.

Factor de Escala de 5

Factor de Escala de $\frac{1}{2}$

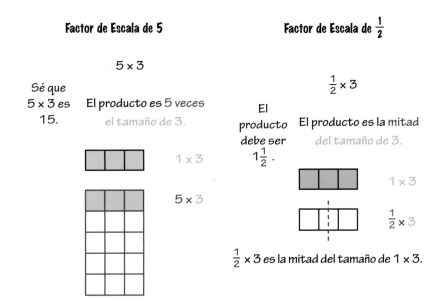

5×3

Sé que 5×3 es 15.

El producto es 5 veces el tamaño de 3.

1×3

5×3

5×3 es 5 veces mayor que 1×3.

$\frac{1}{2} \times 3$

El producto debe ser $1\frac{1}{2}$.

El producto es la mitad del tamaño de 3.

1×3

$\frac{1}{2} \times 3$

$\frac{1}{2} \times 3$ es la mitad del tamaño de 1×3.

Gary lanzó su pelota 5 pies. Marie lanzó su pelota tres veces más lejos que Gary lanzó su pelota.

¿Cuán lejos lanzó Marie su pelota?

3×5 pies = 15 pies

5 pies

Pelota de Gary   Pelota de Marie

Marie lanzó su pelota 15 pies.

Tres amigos estaban comparando sus colecciones de autitos. JD tenía 24 autitos, José tenía 9 autitos, y Bill tenía dos veces más que ambos de sus amigos juntos.

¿Cuántos autitos tiene Bill?

Autitos de Bill = 2 $(24 + 9)$

Dos veces más

Autitos de JD y José

$2\,(33) = 66$

Bill tiene 66 autitos.

Tabla de Multiplicación ....

Una tabla de multiplicación puede usarse para ayudar a identificar rápidamente sus operaciones de multiplicación.

×	1	2	3	4	5	6	7	8	9	10	11	12
1	1	2	3	4	5	6	7	8	9	10	11	12
2	2	4	6	8	10	12	14	16	18	20	22	24
3	3	6	9	12	15	18	21	24	27	30	33	36
4	4	8	12	16	20	24	28	32	36	40	44	48
5	5	10	15	20	25	30	35	40	45	50	55	60
6	6	12	18	24	30	36	42	48	54	60	66	72
7	7	14	21	28	35	42	49	56	63	70	77	84
8	8	16	24	32	40	48	56	64	72	80	88	96
9	9	18	27	36	45	54	63	72	81	90	99	108
10	10	20	30	40	50	60	70	80	90	100	110	120
11	11	22	33	44	55	66	77	88	99	110	121	132
12	12	24	36	48	60	72	84	96	108	120	132	144

Para hallar el producto de 7 x 8, puede
- ir a la hilera siete y luego a la columna ocho
- ir a la hilera ocho y luego a la columna siete

Como 8 x 7 = 7 x 8 ambos productos son 56.

Intente con otra operación: 6 x 4
- hilera seis, columna cuatro

  6 x 4 = 24
- hilera cuatro, columna seis

  4 x 6 = 24

 Usted puede usar la tabla de multiplicación para ver patrones. Por ejemplo, todos los múltiplos de 4 son pares y todos los múltiplos de 10 terminan en 0.

Estrategia de Multiplicación de un Dígito.....

Hay varias estrategias diferentes para la **multiplicación**.

$$3 \times 7$$

Contar Salteado

Contar de 3 en 3:
3, 6, 9, 12, 15, 18, (21)

Contaré de 3, 7 veces.

Contar de 7 en 7:
7, 14, (21)

Contaré de 7, 3 veces.

Matrices

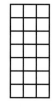

3 columnas de 7 = 21

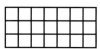

3 hileras de 7 = 21

Grupos Iguales

3 grupos de 7 es lo mismo que 21.

Modelo de Área

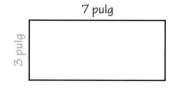

3 pulg × 7 pulg = 21 pulg²

Descomposición/Propiedad Distributiva

3 × 5 = 15

3 × 2 = 6

3 × 7 = 21

Puedo descomponer el 7 en 5 y 2.

Luego, puedo multiplicar
3 × 5 y 3 × 2.

Luego, puedo sumar los
productos, 15 + 6.

Multiplicación de Múltiplos de Diez..............

Cuando **multiplica números por múltiplos de diez**, verá un ejemplo de la **propiedad asociativa de multiplicación**.

La **propiedad asociativa**
declara que cambiar la
agrupación de factores no
afecta el producto.

$3 \times 50 = 3$ grupos de 5 decenas

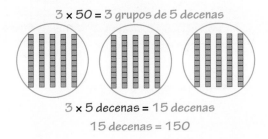

3×5 decenas $= 15$ decenas
15 decenas $= 150$

¿Cómo sabe que
**15 decenas es
150?**

Contar salteado de 50 en 50	Descomponer 15 decenas	Descomponer 15 × 10 / Propiedad Distributiva

**Contar salteado de 50
en 50**

5 decenas es 50
10 decenas es 100
15 decenas es 150

Descomponer 15 decenas

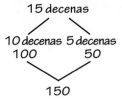

15 decenas

10 decenas 5 decenas
100   50

150

**Descomponer 15 × 10 /
Propiedad Distributiva**

$15 \times 10 = (10 + 5) \times 10$
$= (10 \times 10) + (5 \times 10)$
$= 100 + 50$
$= 150$

Método rápido: Calcule el producto de los dígitos que no son ceros; luego mueva el producto un lugar a la izquierda para hacer el resultado 10 veces mayor.

$3 \times 50 \longrightarrow 3 \times 5 = 15$ $3 \times 50 = 150$

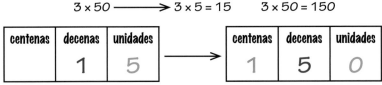

centenas	decenas	unidades		centenas	decenas	unidades
	1	5	→		1	5	0

Después de moverse un lugar
a la izquierda.

45

Estrategias de Multiplicación de Varios Dígitos ....

Hay varias estrategias diferentes para **multiplicación**. Aquí hay algunas:

$$13 \times 5 = \boxed{}$$

Contar Salteado

Contar de 13 en 13:
13, 26, 39, 52, (65)

Contaré de 13 en 13, 5 veces
para obtener el producto.

Contar de 5 en 5:
5, 10, 15, 20, 25, 30, 35,
40, 45, 50, 55, 60, (65)

Contaré de 5 en 5, 13 veces
para obtener el producto.

Matrices

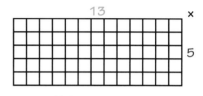

5 hileras de 13 = 65

Modelo de Área

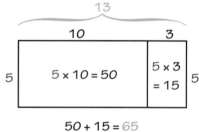

50 + 15 = 65

Descomposición/Propiedad Distributiva

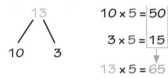

$10 \times 5 = 50$

$3 \times 5 = 15$

$13 \times 5 = 65$

Descompondré 13 en 10 y 3,
y multiplicaré cada uno por 5,
luego los sumaré para hallar el
producto.

Producto Parcial

$$
\begin{array}{rl}
13 & = 10 + 3 \\
\times\,5 & \\
\hline
15 & = 3 \times 5 \\
+50 & = 10 \times 5 \\
\hline
65 &
\end{array}
$$

- Descomponer 13 en 1 decena más 3 unidades.
- Multiplicar cada parte del número descompuesto por 5.
- Sumar cada producto parcial.
- Ahora tiene el producto (respuesta).

46

Estrategias de Multiplicación de Varios Dígitos (continúa) ....

Descomposición/Propiedad Distributiva

21 × 34 = ☐

20 + 1   30 + 4

(20 × 30) + (20 × 4) + (1 × 30) + (1 × 4)

600 + 80 + 30 + 4

680 + 34

714

- Descomponga (separe) cada número en decenas y unidades.
- Multiplique cada parte del primer número por cada parte del segundo número.
- Sume cada producto parcial.
- Ahora tiene el producto (respuesta).

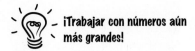 ¡Trabajar con números aún más grandes!

439 × 4 = ☐

400 30 9

400 × 4 = 1,600
30 × 4 =   120
9 × 4 = +   36
           1,756

¡Uso el mismo método para resolver usando el producto parcial!

Producto Parcial

21   = (20 + 1)
× 34 = (30 + 4)
4   = 4 × 1
80   = 4 × 20
30   = 30 × 1
+ 600 = 30 × 20
714

Modelo de Área

81 × 615 = ☐

	600	10	5
80	80 × 600 = 48,000	80 × 10 = 800	80 × 5 = 400
1	1 × 600 = 600	1 × 10 = 10	1 × 5 = 5

$\overset{1}{4}8,000$
800
400
600
10
+   5
49,815

Comprensión del Método Tradicional de Multiplicación ....

Para usar el **método tradicional de multiplicación** (o algoritmo estándar de EE.UU.), multiplique de derecha a izquierda, reagrupando según sea necesario.

		Método Tradicional

$$\begin{array}{r} {}^{1}\ \\ 24 \\ \times\,34 \\ \hline 6 \end{array}$$

4 unidades x 4 unidades = 16 (1 decena y 6 unidades). Anote el 6 debajo de la columna de unidades y reagrupe 1 decena.

$$\begin{array}{r} {}^{1\ 1} \\ 24 \\ \times\,34 \\ \hline 96 \\ +\,720 \\ \hline 816 \end{array}$$

$$\begin{array}{r} {}^{1}\ \\ 24 \\ \times\,34 \\ \hline 96 \end{array}$$

4 unidades x 2 decenas = 8 decenas. Sume 1 decena que fue reagrupada y anote las 9 decenas.

$$\begin{array}{r} {}^{1\ 1} \\ 24 \\ \times\,34 \\ \hline 96 \\ 20 \end{array}$$

3 decenas x 4 unidades = 12 decenas (1 centena y 2 decenas, o 20). Anote el 20 debajo del primer producto y reagrupe 1 centena.

$$\begin{array}{r} {}^{3} \\ {}^{2}\ \\ 1{,}219 \\ \times\,43 \\ \hline {}^{1}\ 3{,}657 \\ +\,48{,}760 \\ \hline 52{,}417 \end{array}$$

$$\begin{array}{r} {}^{1\ 1} \\ 24 \\ \times\,34 \\ \hline 96 \\ 720 \end{array}$$

3 decenas x 2 decenas = 6 centenas. Sume 1 centena que fue agrupada y anote las 7 centenas.

$$\begin{array}{r} {}^{1\ 1} \\ 24 \\ \times\,34 \\ \hline {}^{1}\,96 \\ +\,720 \\ \hline 816 \end{array}$$

6 unidades + 0 unidades = 6 unidades. 9 decenas + 2 decenas = 11 decenas (1 centena y 1 decena). 7 centenas + 1 decena que fue agrupada = 8 centenas

Multiplicación de Decimales ....

Usted **multiplica decimales** de la misma manera que multiplica números enteros. La única cosa que difiere es determinar dónde colocar el punto decimal en el producto.

1.5 × 3.49

Hacer una Estimación	Multiplicar	Colocar el Decimal
1.5 está más cerca de 2, mientras que 3.49 está cerca de 3. My producto es alrededor de 2 x 3, lo cual es 6.	Multiplicar como si estos fueran números enteros*: $$^2 3.^4 49$$ $$\underline{\times\ \ 1.5}$$ $$^1 1,^1 745$$ $$\underline{+\ 3,490}$$ $$5,235$$ *Ver página 48.	La estimación fue 6, entonces tendría sentido colocar el decimal después del 5: 5.235

¡Mire! ¡Un descubrimiento matemático útil!

Coloque el punto decimal en el producto contando el número de lugares a la derecha del decimal en cada factor. El total le dice el número de lugares que habrá a la derecha del decimal de su producto.

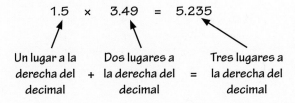

$$1.5 \quad \times \quad 3.49 \quad = \quad 5.235$$

| Un lugar a la derecha del decimal | + | Dos lugares a la derecha del decimal | = | Tres lugares a la derecha del decimal |

Cuentos Matemáticos de División ....

La **división** es lo opuesto a la multiplicación y usted usa la multiplicación cada vez que divide. Cuando divide, está determinando el número de partes iguales o tamaño de cada parte. Hay tres tipos de problemas de división:

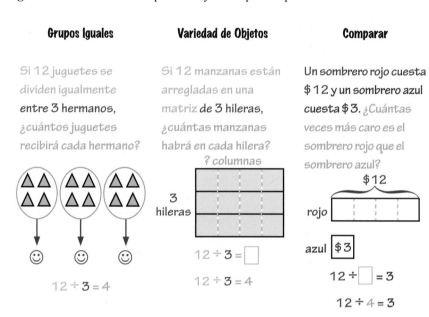

Grupos Iguales	**Variedad de Objetos**	**Comparar**

Si 12 juguetes se dividen igualmente entre 3 hermanos, ¿cuántos juguetes recibirá cada hermano?

$12 \div 3 = 4$

Si 12 manzanas están arregladas en una matriz de 3 hileras, ¿cuántas manzanas habrá en cada hilera?

3 hileras

? columnas

$12 \div 3 = \square$

$12 \div 3 = 4$

Un sombrero rojo cuesta $ 12 y un sombrero azul cuesta $ 3. ¿Cuántas veces más caro es el sombrero rojo que el sombrero azul?

$12

rojo

azul $ 3

$12 \div \square = 3$

$12 \div 4 = 3$

¡Estos son dos miembros de la misma familia de operaciones!

$12 \div 3 = 4 \qquad 4 \times 3 = 12$

$12 \div 4 = 3 \qquad 3 \times 4 = 12$

Estrategias de División ....

Hay varias **estrategias de división** diferentes. Tres estrategias comunes se detallan abajo:

$$966 \div 7 = \boxed{}$$

Modelo de Área: Hallar el Largo de un Lado

? centenas + ? decenas + ? unidades

7	966

```
           100    + 30 + 8 = 138        Si sumo todos los grupos de 7 en
      7 x 100 = 700 7 x 30 7 x 8           966, obtengo 100 + 30 + 8 o
                   = 210  = 56                      138.
  7
          966        266   56
        - 700      - 210  - 56
          266        56    0
```

Como 7 x 100 es 700, restaré 700 de mi número original. Ahora tengo 266.

¿Cuántos 7 hay en 266? Sé que por lo menos hay 30 porque 7 x 30 es 210. Cuando resto 210 de 266, me queda 56, que sé que es el producto de 7 x 8.

Método de Cociente Parcial

```
7 ) 966
  - 700     7 x 100
    266
  - 210     7 x 30
     56
   - 56     7 x 8
      0
            138
```

Método Tradicional

```
      138
7 ) 966
  - 7
    26
  - 21
     56
   - 56
      0
```

Comprensión del Método de División de Cociente Parcial ....

El método de división de **cociente parcial** usa la repetición de resta de factores amigables para hallar respuestas parciales al problema. Una vez que llegó a cero, estos productos parciales se suman todos juntos para hallar la respuesta final.

¿Cuántos grupos de 12 hay en 228?

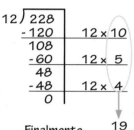

Sé que 12 x 10 es 120. Cuando resto eso de 228, todavía tengo 108.

12 x 10 otra vez es demasiado, por lo tanto trataré 12 x 5, que es 60.

Ahora me queda 48. 12 x 4 es 48. Cuando resto, no me queda nada.

Finalmente, sumo todos los grupos de 12, los cuales son 10 + 5 + 4 o 19.

Método de Cociente Parcial

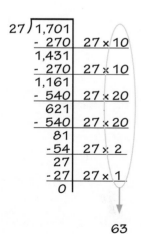

Si continúo trabajando con grupos de 10, ¡esto llevaría muchísimo tiempo! Trataré algo más grande.

Comprensión del Método de División Tradicional ....

El método de división tradicional de EE.UU. es a menudo llamado **división larga**. La división larga es un método para dividir que repite los pasos básicos: ① Dividir; ② Multiplicar; ③ Restar; ④ Bajar el dígito siguiente. En la división larga, se trabaja de izquierda a derecha.

Usted tiene 520 jugadores. Se necesitan 8 jugadores para formar un equipo de tirar de la cuerda. ¿Cuántos equipos puede formar?

$$\begin{array}{r} 65 \\ 8\overline{)520} \\ -48 \\ \hline 40 \\ -40 \\ \hline 0 \end{array}$$

- Comience con las centenas.

  $8 \times 100 = 800$

  El dividendo es solo 500, por lo tanto nada irá "arriba" de las 5 centenas.

- Divida las decenas.

  $8 \times 6 \text{ decenas} = 48 \text{ decenas}$

  $8 \times 7 \text{ decenas} = 56 \text{ decenas}$

  Entonces, el cociente está entre 60 y 70. Escriba un 6 en el lugar de las decenas y 48 (decenas) bajo el dividendo. Reste.

- Divida las unidades.

  $8 \times 5 = 40$

  Escriba un 5 en el lugar de las unidades y 40 debajo del dividendo. Reste.

Método Tradicional

$$\begin{array}{r} 19 \\ 12\overline{)228} \\ -12 \downarrow \\ \hline 108 \\ -108 \\ \hline 0 \end{array}$$

Método Tradicional

$$\begin{array}{r} 63 \\ 27\overline{)1{,}701} \\ -162 \downarrow \\ \hline 81 \\ -81 \\ \hline 0 \end{array}$$

Residuos...

A veces cuando está dividiendo descubrirá que su **divisor** no entra exactamente en su **dividendo**. En este caso, podría tener extras o **residuos** con los que tiene que trabajar.

$$\begin{array}{r} 32 \\ 4\,\overline{)129} \\ -120 \\ \hline 9 \\ -8 \\ \hline 1 \end{array}$$

Este es mi residuo.

Para poder determinar qué hacer con el **residuo**, debe considerar el contexto del problema.

Redondeo del Residuo	Fracción de Residuo	Número Entero de Residuo
Si hay 129 estudiantes y 4 entran en cada auto, ¿cuántos autos se necesitan?	Si hay 129 galletas para compartir uniformemente entre 4 clases, ¿cuántas galletas recibiría cada clase?	Si hay 129 globos y se necesitan 4 globos para hacer un ramo de globos, ¿cuántos ramos enteros de globos pueden hacerse?
Usted no desearía que ese 1 estudiante extra de **residuo** se quede atrás, por lo tanto necesitaría 33 autos.	Esta vez 1 galleta extra de **residuo** podría dividirse para que cada clase reciba $32\frac{1}{4}$ galletas.	Esta vez ese globo extra de **residuo** podría dejarse a un lado, y podrían hacerse 32 ramos enteros de globos.

Decimal de Residuo

$$\begin{array}{r} 0.3225 \\ 4\,\overline{)1.2900} \\ -12 \\ \hline 09 \\ -8 \\ \hline 10 \\ -8 \\ \hline 20 \\ -20 \\ \hline 0 \end{array}$$

Si las bananas cuestan $ 1.29 por 4 bananas y compro 1 banana, ¿cuánto costaría?

La tienda no desearía perder el **residuo** extra de 1 centavo, por lo tanto el costo sería $ 0.33 por una banana.

División de Decimales ....

Usted **divide decimales** de la misma manera que divide números enteros. Solo necesita determinar el lugar del punto decimal en su cociente.

Decimal ÷ Número Entero

$$\begin{array}{r} 6.72 \\ 4\overline{)26.88} \\ -24 \\ \hline 28 \\ -28 \\ \hline 08 \\ -8 \\ \hline 0 \end{array}$$

Coloque el punto decimal directamente arriba del decimal en el dividendo.

Decimal ÷ Decimal o Número Entero ÷ Decimal

Puede cambiar su problema de división en uno con solo números enteros al multiplicar el divisor y el dividendo por una potencia de diez.

$$0.16\overline{)24} = \frac{24}{0.16} \times \frac{100}{100} = \frac{2400}{16} = 150$$

Luego divida de la misma manera que dividiría números enteros.

Tradicionalmente escrito, se vería de esta manera:

$$0.16\overline{)24.00}$$

Mueva el punto decimal 2 lugares para mostrar 0.16×100.

Mueva el punto decimal 2 lugares para mostrar 24×100.

Luego, divida como siempre.

$$\begin{array}{r} 150 \\ 16\overline{)2400} \\ -16 \\ \hline 80 \\ -80 \\ \hline 00 \\ -0 \\ \hline 0 \end{array}$$

La solución de $0.16\overline{)24}$ es la misma que la solución de $16\overline{)2400}$, que es 150.

Fracciones como División ....

Las **fracciones** son otra manera de representar una situación de división. Cuando se divide dos números enteros, la respuesta puede ser un número entero, un número mixto o una fracción. Este ejemplo muestra una respuesta de **número entero**.

$$12 \div 4 = \frac{12}{4} = 3$$

Cómo compartir 12 brownies **uniformemente entre 4 personas.**

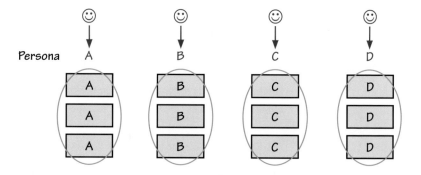

Cada persona recibe 3 piezas. Debido a que un brownie entero es 1 pieza, cada persona recibe $\frac{3}{1}$ o 3 brownies.

Fracciones como División (continúa) ....

Cuando dos números enteros se dividen, la respuesta puede ser un **número mixto**.

$$5 \div 3 = \frac{5}{3} = 1\frac{2}{3}$$

Cómo compartir 5 brownies enteros, **cortados en 3 piezas, uniformemente entre 3 personas.**

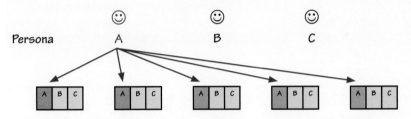

Cada persona recibe 5 piezas. Como un brownie entero tiene 3 piezas, cada persona recibe $\frac{5}{3}$ brownies o $1\frac{2}{3}$ brownies.

Cuando dos números enteros se dividen, la respuesta puede ser una **fracción**.

$$5 \div 6 = \frac{5}{6}$$

Cómo compartir 5 brownies enteros, **cortados en 6 piezas, uniformemente entre 6 personas.**

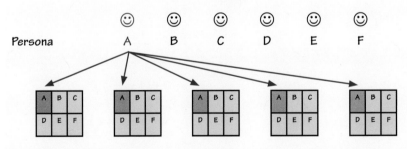

Cada persona recibe 5 piezas. Como un brownie entero tiene 6 piezas, cada persona recibe $\frac{5}{6}$ brownies.

Cuentos Matemáticos de dos Pasos (+ - × ÷)....

Los cuentos matemáticos de dos pasos pueden requerir dos de las operaciones básicas (+, -, ×, ÷) para resolver el problema. Puede usar el **orden de las operaciones** (ver página 16) para saber qué operación hacer primero.

Sam tiene 2 años más que **3 veces** la edad de Katie. Katie tiene **5 años**. **¿Qué edad tiene Sam?**

$$(3 \times 5) + 2 = \boxed{}$$

Paso 1: $\underline{(3 \times 5)} + 2 = \boxed{}$

Paso 2: $15 + 2 = \boxed{17}$

Sam tiene 17 años.

331 estudiantes fueron a una excursión. Se llenaron 6 autobuses y 7 estudiantes fueron en auto. ¿Cuántos estudiantes había en cada autobús?

$$\frac{331 - 7}{6} = \boxed{}$$

Paso 1: $\dfrac{\underline{331 - 7}}{6} = \boxed{}$

Paso 2: $324 \div 6 = \boxed{54}$

Había 54 estudiantes en cada autobús.

Alyiah tenía $ 24 para gastar en 7 lapiceras idénticas. . **Después de comprarlas, todavía tenía $ 10.** ¿Cuánto costó cada lapicera?

$$(\$\,24 - \$\,10) \div 7 = \boxed{}$$

Paso 1: $\underline{(\$\,24 - \$\,10)} \div 7 = \boxed{}$

Paso 2: $\$\,14 \div 7 = \boxed{\$\,2}$

Cada lapicera costó $ 2.

Kim compró una revista por $ 5 y 4 globos. Gastó un total de $ 25. ¿Cuánto costó cada globo?

$$\$\,5 + (4 \cdot \boxed{}) = \$\,25$$

Paso 1:

$$\$\,5 - \$\,5 + (4 \cdot \boxed{}) = \$\,25 - \$\,5$$

$$0 + (4 \cdot \boxed{}) = \$\,20$$

Paso 2:

$$4 \cdot \boxed{} \div 4 = \$\,20 \div 4$$

$$\boxed{} = \$\,5$$

Cada globo costó $ 5.

Cualquier cosa que haga en un lado de una ecuación, debe hacerlo también del otro lado.

Temas Especiales con Números Enteros

Los números enteros tienen características especiales que ayudan a los niños a ver patrones. Los números pueden ser pares o impares, primos o compuestos, o pueden formar un cuadrado perfecto. Los niños pueden reconocer estas características especiales y usarlas para resolver problemas con números enteros.

Como adultos, podemos preguntar a nuestros hijos qué matemáticas ven que podría ayudarlos a resolver el problema. Cuanto más hablen los niños de estas características especiales, más podrán usarlas para resolver problemas.

Números Pares e Impares.......................

Un **número par** es cualquier número que puede hacer grupos de 2 sin que quede ninguna unidad o puede colocarse en una matriz de 2 unidades de alto.

8 es
par

14 es
par

Números pares son divisibles entre 2.

Un **número impar** es cualquier número que no puede colocarse en una matriz de 2 unidades de alto sin que quede ninguna unidad. Un número impar puede dividirse en socios o pares, pero siempre quedará una unidad.

5 es
impar

5 y 11 son impares porque ambos tienen una unidad de más.

11 es
impar

Números impares <u>no</u> son divisibles entre 2.

Los números pares terminan en
2, 4, 6, 8 o 0.

Los números impares terminan en
1, 3, 5, 7 o 9.

Tabla de Cien ···

Puedo usar una tabla de cien para explorar muchas ideas matemáticas diferentes y ver patrones de números.

1	2	3	4	5	6	7	8	9	10
11	12	13	14	15	16	17	18	19	20
21	22	23	24	25	26	27	28	29	30
31	32	33	34	35	36	37	38	39	40
41	42	43	44	45	46	47	48	49	50
51	52	53	54	55	56	57	58	59	60
61	62	63	64	65	66	67	68	69	70
71	72	73	74	75	76	77	78	79	80
81	82	83	84	85	86	87	88	89	90
91	92	93	94	95	96	97	98	99	100

Un ejemplo es ver que todos los números pares están sombreados mientras que todos los impares no lo están.

Este dibujo muestra los asientos en un teatro. Sam notó un patrón en los números de los asientos. El número de cada asiento es 10 más que el de abajo. ¿Qué número tendría el asiento que está marcado con una X?

		X							
41	42	43	44	45	46	47	48	49	50
31	32	33	34	35	36	37	38	39	40

10 más que 44 es 54, ¡entonces el número de asiento debe ser 54!

Múltiplos y Múltiplos Comunes...................

Un **múltiplo** es un número incluido cuando se cuenta salteado por una cierta cantidad. Es el resultado de multiplicar un número entero por un número positivo o negativo (ver página 70 para más información sobre números positivos y negativos).

Múltiplos Positivos de 12

$0 = 12 \times 0$

$12 = 12 \times 1$

$24 = 12 \times 2$

$36 = 12 \times 3$

$48 = 12 \times 4$

$60 = 12 \times 5$

$72 = 12 \times 6$

etc.

Los **múltiplos** positivos de 12 son:
0, 12, 24, 36, 48, 60, 72, ...
porque todos son productos de 12 veces un número entero.

Note que el 6 no es un múltiplo de 12 porque no se puede multiplicar 12 por un número entero para tener un producto de 6.

Al comparar números, es a menudo necesario identificar sus **múltiplos comunes**.

Halle los **múltiplos comunes** de 12 y 15.

Múltiplos comunes de 12:
0, 12, 24, 36, 48, 60, 72 ...

El **múltiplo común mínimo** de 12 y 15 es 60.

Múltiplos comunes de 15:
0, 15, 30, 45, 60, 75, 90 ...

El múltiplo mínimo (además de 0) que dos números comparten se llama su **múltiplo común mínimo**.

Factores..

Factores son números enteros que se multiplican juntos para obtener un producto. Un número es divisible entre cada uno de sus factores.

Factores de 12

$3 \times 4 = 12$,
entonces 3 y 4 son
factores de 12

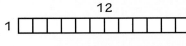

$2 \times 6 = 12$,,
entonces 2 y 6 son
factores de 12.

$1 \times 12 = 12$,
entonces 1 y 12 son
factores de 12.

Los **factores** de 12 son:
1, 2, 3, 4, 6 y 12,
porque entran uniformemente en 12.

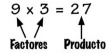

$9 \times 3 = 27$

Factores　**Producto**

La respuesta a un problema de multiplicación
se llama **producto**.

Factores Comunes ....

Al comparar números, es necesario con frecuencia identificar sus **factores comunes.**

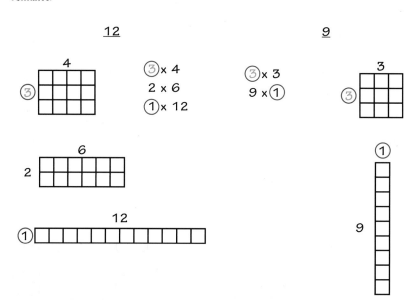

Los **factores comunes** de 12 y 9 son 1 y 3, debido a que son estos los factores que comparten.

El **factor común mayor** de 12 y 9 es 3, debido a que 3 es el mayor de los factores compartidos.

Números Primos..

Casi todos los números naturales (números que se usan al contar) pueden describirse como **números primos** o **números compuestos**.

Los **números primos** tienen exactamente dos factores: 1 y el número en sí.

$$\underline{7}$$
$$1 \times 7$$

$$\underline{13}$$
$$1 \times 13$$

7 y 13
son ambos
**números
primos**.

Los **números primos** tienen exactamente dos factores, por lo que solo pueden hacer dos matrices.

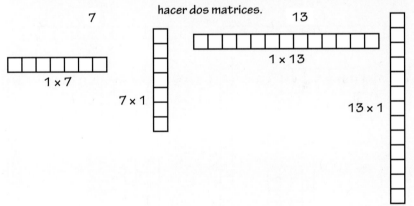

Los **números primos** de 1 a 50 están encerrados en un círculo abajo:

1 ,②,③, 4 ,⑤, 6 ,⑦, 8 , 9 , 10 ,⑪, 12 ,⑬, 14 , 15 ,
16 ,⑰, 18 ,⑲, 20 , 21 , 22 ,㉓, 24 , 25 , 26 , 27 ,
28 ,㉙, 30 ,㉛, 32 , 33 , 34 , 35 , 36 ,㊲, 38 , 39 ,
40 ,㊶, 42 ,㊸, 44 , 45 , 46 ,㊼, 48 , 49 , 50

Números Compuestos...

La mayoría de los números no son **números primos**. En vez, son **números compuestos**.

Los números compuestos tienen más de dos factores.

<u>16</u>
1 x 16
2 x 8
4 x 4

*16 y 15 son ejemplos de **números compuestos**.*

<u>15</u>
1 x 15
3 x 5

Los números compuestos tienen tres o más factores, por lo tanto pueden hacer más de dos matrices.

16   15

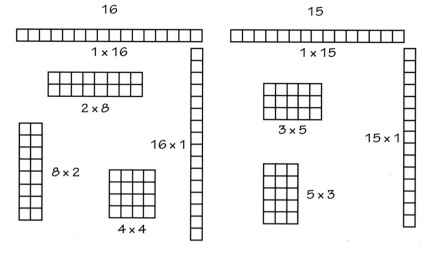

1 es un Caso Especial

1 no es un **número primo** ni un **número compuesto** porque solo tiene un factor único y solo puede hacer una matriz.

<u>1</u>
1 x 1

1 x 1

Exponentes ....

Exponentes (potencias) son una manera corta de escribir multiplicación repetida del mismo número.

Exponente

$$5^4 = 5 \times 5 \times 5 \times 5 = 625$$

Número Base

El exponente dice cuántas veces se multiplica el número base por sí mismo.

$$4^2$$

$$4^2 = 4 \times 4 = 16$$

$$4^3$$

$$4^3 = 4 \times 4 \times 4 = 64$$

4^2 se lee "**4 al cuadrado**" o "4 a la segunda potencia" y forma un cuadrado que mide 4 unidades en cada lado.

4^3 se lee "**4 al cubo**" o "4 a la tercera potencia" y forma un cuadrado que mide 4 unidades en cada borde.

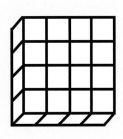

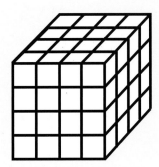

Números Negativos y Positivos (Números Enteros)

Los números negativos y positivos, incluyendo los números enteros, se ven en la vida diaria y en matemáticas. Cuando la temperatura en el verano llega a 110°, este es un número positivo. Cuando compramos un libro por $9.95, nuestra cuenta bancaria registra un número negativo. Todos los números, excepto el cero, son negativos o positivos, pero no todos los números son números enteros.

Los niños a veces tienen dificultad con la idea de que un número puede ser menor a cero, entonces compartir ejemplos de la vida diaria pueden ayudarlos a entender esta idea.

Números Enteros ....

Los **números enteros** son un juego de números enteros y sus opuestos.

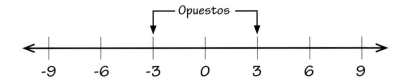

- -3 y 3 son opuestos.
- Cero es su propio opuesto.

Números Positivos y Negativos ....

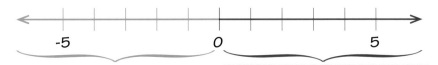

Números Negativos son Menores que Cero	Números Positivos son Mayores que Cero
Ejemplos de Números Negativos -9, -4 $\frac{1}{5}$, -2.63	Ejemplos de números positivos 12, π, $9.46
- 5 • Molly debe a su hermana $5.	+ 23 • Jane ganó $23 por cuidar niños el fin de semana pasado.
- 2 • Los padres de Seth se casaron 2 años antes de que él naciera.	+ 10,000 • El avión alcanzó su altitud de velocidad constante de 10,000 pies.

Comparación de Números Enteros..................

Usted puede usar una **recta numérica** para comparar números enteros.

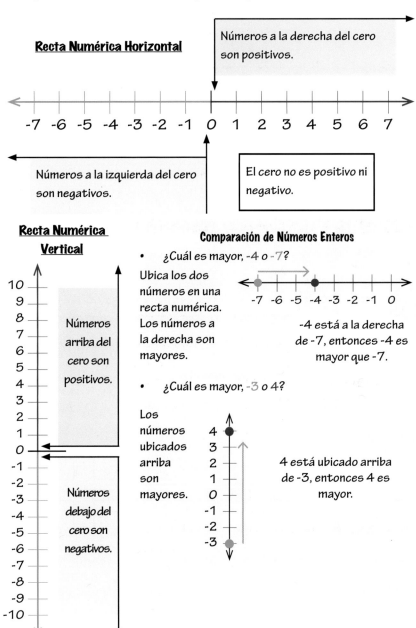

Recta Numérica Horizontal

Números a la derecha del cero son positivos.

-7 -6 -5 -4 -3 -2 -1 0 1 2 3 4 5 6 7

Números a la izquierda del cero son negativos.

El cero no es positivo ni negativo.

Recta Numérica Vertical

Números arriba del cero son positivos.

Números debajo del cero son negativos.

Comparación de Números Enteros

• ¿Cuál es mayor, -4 o -7?

Ubica los dos números en una recta numérica. Los números a la derecha son mayores.

-7 -6 -5 -4 -3 -2 -1 0

-4 está a la derecha de -7, entonces -4 es mayor que -7.

• ¿Cuál es mayor, -3 o 4?

Los números ubicados arriba son mayores.

4 está ubicado arriba de -3, entonces 4 es mayor.

Valor Absoluto..

Valor absoluto es la distancia entre un número y el cero en una recta numérica.

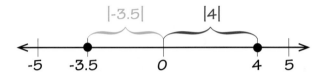

El **valor absoluto** se escribe usando líneas verticales paralelas como esto: | |

El **valor absoluto** de |4| es 4 porque está 4 unidades lejos del cero en la recta numérica.

El **valor absoluto** de |-3.5| es 3.5 porque está 3.5 unidades lejos del cero en la recta numérica.

Hallar el **valor absoluto** es útil en la vida real y en matemáticas. Si desea hallar qué lejos está del baño más cercano, a usted no le interesa si el baño está detrás o delante de usted.

Distancia al Baño	Valor Absoluto			
-20 yardas	|-20|	=	20 yd	Este es el
60 yardas	|60|	=	60 yd	baño más cercano.

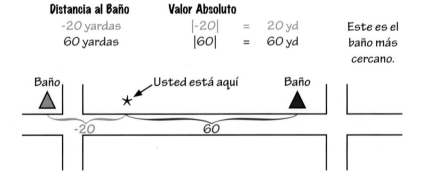

Conceptos Básicos de Fracciones

Las fracciones se introducen en los grados primarios. La enseñanza de fracciones comienza con los niños dividiendo formas en cantidades iguales o "partes justas". Aunque el trabajo con fracciones comienza temprano, la manera tradicional de escribir fracciones no comienza hasta el tercer grado.

Las fracciones tienen varios significados y pueden mostrar más que el número de partes iguales en un entero. A veces los niños tienen dificultad con las fracciones, por lo cual se pasa mucho tiempo desarrollando las ideas básicas antes de que los niños aprendan a combinarlas o separarlas.

Formas Divididas...

Antes de comenzar la enseñanza formal de fracciones, se desarrollan las ideas de fracciones usando formas y geometría.

División de un Círculo en Cantidades Iguales (Partes)

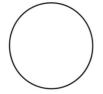

Este es un círculo entero.   Este círculo está dividido en cuatro partes iguales, llamadas cuartos.

División de un Rectángulo en Cantidades Iguales (Partes)

Este es un rectángulo entero.   Este rectángulo está dividido en dos partes iguales, llamadas mitades.

Este rectángulo está dividido en tres partes iguales, llamadas tercios.   Este rectángulo también está dividido en tres partes iguales, ¡a pesar de que no se vean iguales!

 Los estudiantes usan las palabras "cuartos," "mitades" y "tercios," pero típicamente no usan las notaciones de fracciones ($\frac{1}{4}$, $\frac{1}{2}$, $\frac{1}{3}$, etc.) hasta el tercer grado.

Representación de Fracciones..........................

Una **fracción** es un número que representa parte de un número entero o parte de un grupo. El **denominador** (número de abajo) dice cuantas partes iguales hay en el entero o grupo. El **numerador** (número de arriba) dice de cuantas partes se trata.

$$\frac{5}{6}\ \begin{array}{l}\underline{\text{numerador}}\\ \text{denominador}\end{array}$$

Las fracciones pueden usarse y nombrarse de diferentes maneras. Abajo hallará algunos ejemplos:

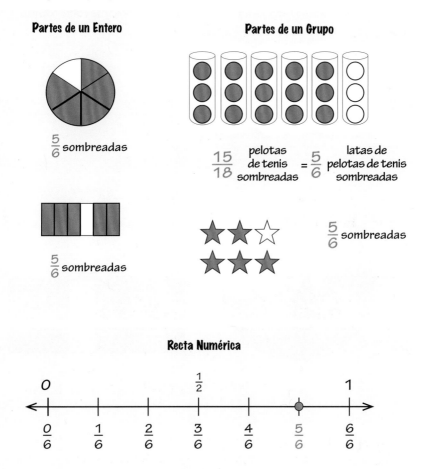

Partes de un Entero

$\frac{5}{6}$ sombreadas

$\frac{5}{6}$ sombreadas

Partes de un Grupo

$\frac{15}{18}$ pelotas de tenis sombreadas $= \frac{5}{6}$ latas de pelotas de tenis sombreadas

$\frac{5}{6}$ sombreadas

Recta Numérica

Unidades Fraccionarias...

Una **unidad fraccionaria** es una fracción con un numerador de 1. Algunos ejemplos de unidades fraccionarias:

$$\frac{\text{numerador}}{\text{denominador}} \quad \frac{1}{2} \,,\, \frac{1}{3} \,,\, \frac{1}{4} \,,\, \frac{1}{10} \,,\, \frac{1}{100}$$

Uso de Unidades Fraccionarias........................

Las fracciones con un numerador mayor a 1 pueden pensarse como "copias múltiples" de la misma parte de fracción.

$$\frac{5}{6} \text{ es 5 copias de } \frac{1}{6}$$

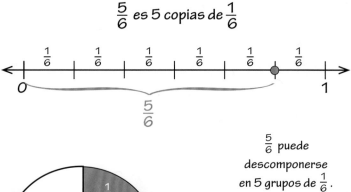

$\frac{5}{6}$ puede descomponerse en 5 grupos de $\frac{1}{6}$.

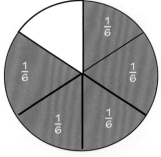

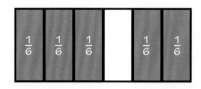

Para todos estos ejemplos:

$$\frac{1}{6} + \frac{1}{6} + \frac{1}{6} + \frac{1}{6} + \frac{1}{6} = \frac{5}{6}$$

Descomposición de Fracciones ....

Las fracciones pueden descomponerse en la suma de sus partes, igual que con los números enteros.

Descomposición de un Número Entero	Descomposición de una Fracción

13	$\frac{3}{4}$

| 10 | 3 | $\frac{2}{4}$ | $\frac{1}{4}$ |

13 es el mismo valor que 10 + 3
13 = 10 + 3

$\frac{3}{4}$ es el mismo valor que $\frac{2}{4}$ + $\frac{1}{4}$
$\frac{3}{4} = \frac{2}{4} + \frac{1}{4}$

| 5 | 5 | 3 | $\frac{1}{4}$ | $\frac{1}{4}$ | $\frac{1}{4}$ |

13 es el mismo valor que 5 + 5 + 3
13 = 5 + 5 + 3

$\frac{3}{4}$ es el mismo valor que $\frac{1}{4}$ + $\frac{1}{4}$ + $\frac{1}{4}$
$\frac{3}{4} = \frac{1}{4} + \frac{1}{4} + \frac{1}{4}$

Fracciones para Números Enteros ....

Todos los números pueden escribirse como **fracciones**.

Fracciones para Uno

Una fracción es equivalente a un entero cuando el numerador (número de arriba) y el denominador (número de abajo) son iguales.

$$\frac{5}{5} = 1 \text{ entero} \rightarrow$$

$$\frac{4}{4} = 1 \text{ entero} \rightarrow \qquad \frac{3}{3} = 1 \text{ entero} \rightarrow$$

Fracciones para Otros Números Enteros

Todo número entero puede escribirse como una fracción cuando el numerador es mayor que el denominador Y el numerador es un **múltiplo** del denominador.

$$3 = \frac{3}{1}$$

Un entero es una parte...
Tengo tres partes enteras.

$$2 = \frac{6}{3} \qquad 4 = \frac{4}{1} \qquad 3 = \frac{9}{3} \qquad 2 = \frac{2}{1}$$

Fracciones Equivalentes ....

Las **fracciones equivalentes** nombran la misma cantidad. Para hallar fracciones equivalentes, se multiplica (o divide) por cualquier fracción que equivale a 1.

Fracciones Equivalentes para Uno

$$1 = \frac{2}{2} = \frac{3}{3} = \frac{4}{4} = \frac{5}{5} = \frac{17}{17}$$

¡Cualquier fracción con el mismo numerador y denominador equivale a 1!

Hallar Fracciones Equivalentes al Multiplicar

Halle fracciones equivalentes para $\frac{1}{2}$

$$\frac{1}{2} \times \frac{3}{3} = \frac{1 \times 3}{2 \times 3} = \frac{3}{6}$$

$$\frac{1}{2} \times \frac{4}{4} = \frac{1 \times 4}{2 \times 4} = \frac{4}{8}$$

① Elija cualquier fracción igual a 1.

② Multiplique el primer numerador por el segundo numerador

③ Multiplique el primer denominador por el segundo denominador.

La cantidad no cambia, ¡solo el tamaño de las partes!

Hallar Fracciones Equivalentes al Dividir

Halle fracciones equivalentes para $\frac{6}{12}$

$$\frac{6}{12} \div \frac{3}{3} = \frac{6 \div 3}{12 \div 3} = \frac{2}{4}$$

$$\frac{6}{12} \div \frac{2}{2} = \frac{6 \div 2}{12 \div 2} = \frac{3}{6}$$

① Elija cualquier fracción igual a 1.

② Divida el primer numerador por el segundo numerador.

③ Divida el primer denominador por el segundo denominador.

Comparación de Fracciones con el Mismo Denominador ....

Las **fracciones** separadas en partes del mismo tamaño pueden compararse directamente.

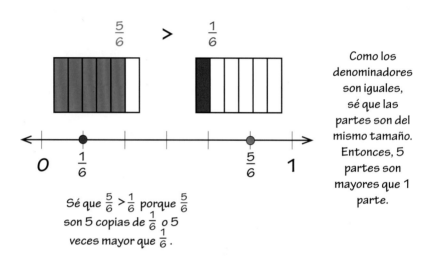

$$\frac{5}{6} > \frac{1}{6}$$

Sé que $\frac{5}{6} > \frac{1}{6}$ porque $\frac{5}{6}$ son 5 copias de $\frac{1}{6}$ o 5 veces mayor que $\frac{1}{6}$.

Como los denominadores son iguales, sé que las partes son del mismo tamaño. Entonces, 5 partes son mayores que 1 parte.

Comparación de Fracciones con el Mismo Numerador ....

Las **fracciones** separadas en el mismo número de partes (aún si el tamaño de las partes difiere) pueden compararse directamente.

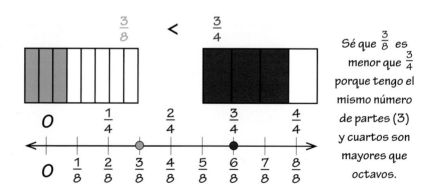

$$\frac{3}{8} < \frac{3}{4}$$

Sé que $\frac{3}{8}$ es menor que $\frac{3}{4}$ porque tengo el mismo número de partes (3) y cuartos son mayores que octavos.

Comparación de Fracciones con Diferentes Denominadores y Numeradores...............

Usted puede comparar fracciones con diferentes denominadores usando las **fracciones de referencia** o **hallando fracciones equivalentes**. Como un número de referencia, una **fracción de referencia** es una fracción fácil para trabajar como $0, \frac{1}{4}, \frac{1}{2}, \frac{3}{4}$ o 1.

Uso de Fracciones de Referencia

¿Cuál es mayor $\frac{3}{4}$ o $\frac{5}{6}$?

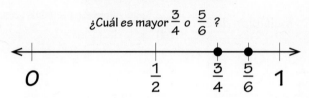

$\frac{5}{6}$ es mayor que $\frac{3}{4}$ porque $\frac{3}{4}$ es $\frac{1}{4}$ mayor que $\frac{2}{4}$. $\frac{2}{4}$ es equivalente a $\frac{1}{2}$.

Y $\frac{5}{6}$ es $\frac{2}{6}$ mayor que $\frac{3}{6}$ o $\frac{1}{2}$ y solo $\frac{1}{6}$ lejos de 1 entero o $\frac{6}{6}$.

Hallar Fracciones Equivalentes

¿Cuál es mayor $\frac{3}{4}$ o $\frac{5}{6}$?

$$\frac{3}{4} \times \frac{3}{3} = \frac{3 \times 3}{4 \times 3} = \frac{9}{12} \qquad \frac{5}{6} \times \frac{2}{2} = \frac{5 \times 2}{6 \times 2} = \frac{10}{12}$$

Multiplicaré cada fracción por una fracción de número entero igual a 1 que hará que los denominadores sean iguales, facilitando su comparación.

$$\frac{9}{12} < \frac{10}{12}$$

$$\frac{3}{4} < \frac{5}{6}$$

Hallar Denominadores Comunes.........................

Para comparar, sumar o restar fracciones con denominadores desiguales, puede desear renombrar las fracciones para que tengan **denominadores comunes**.

Paso 1

Halle el **múltiplo común mínimo*** para los **denominadores**.

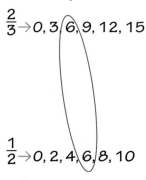

múltiplos de 3

$$\frac{2}{3} \rightarrow 0, 3, 6, 9, 12, 15$$

$$\frac{1}{2} \rightarrow 0, 2, 4, 6, 8, 10$$

múltiplos de 2

*Vea página 62 para más información sobre múltiplo común mínimo.

Paso 2

Cree fracciones equivalentes multiplicando por una fracción igual a 1 que hará ambos **denominadores** equivalentes al **múltiplo común mínimo**.

$$\frac{2}{3} \times \frac{2}{2} = \frac{4}{6}$$

Sé que 3 x 2 = 6. Entonces, multiplicaré por $\frac{2}{2}$ para crear una fracción equivalente.

$$\frac{1}{2} \times \frac{3}{3} = \frac{3}{6}$$

Ahora mi denominador es 2. Multiplicaré por $\frac{3}{3}$ para crear una fracción equivalente.

Paso 3

Use las fracciones con **denominadores comunes** para comparar, sumar y restar.

Comparar: $\quad \frac{4}{6} > \frac{3}{6} \quad$ so $\quad \frac{2}{3} > \frac{1}{2}$

Sumar: $\quad \frac{4}{6} + \frac{3}{6} = \frac{7}{6} = 1\frac{1}{6} \quad$ so $\quad \frac{2}{3} + \frac{1}{2} = 1\frac{1}{6}$

Restar: $\quad \frac{4}{6} - \frac{3}{6} = \frac{1}{6} \quad$ so $\quad \frac{2}{3} - \frac{1}{2} = \frac{1}{6}$

Suma, Resta, Multiplicación y División de Fracciones

Los estudiantes suman, restan, multiplican y dividen fracciones creando modelos visuales junto con las ecuaciones. Con frecuencia, descubren las reglas generales para trabajar con fracciones de estos modelos.

Hacer modelos visuales es importante porque las fracciones tienen más sentido para los niños y ellos serán menos propensos a cometer errores si pueden visualizar el problema.

Suma y Resta de Fracciones ....

Para sumar y restar **fracciones**, los **denominadors** (números de abajo) deben ser iguales. Luego, sume o reste los **numeradores** (números de arriba).

Con el Mismo Denominador

¿Necesita ayuda para simplificar? Vea la página 79.

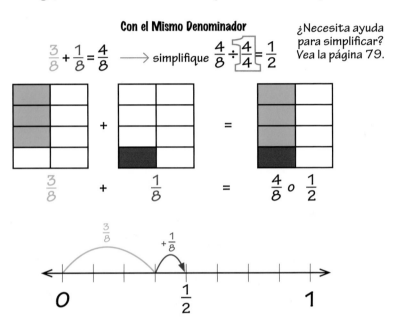

$$\frac{3}{8} + \frac{1}{8} = \frac{4}{8} \longrightarrow \text{simplifique} \quad \frac{4}{8} \div \frac{4}{4} = \frac{1}{2}$$

$$\frac{3}{8} \quad + \quad \frac{1}{8} \quad = \quad \frac{4}{8} \text{ o } \frac{1}{2}$$

Con Denominadores Diferentes

$$\frac{3}{4} - \frac{1}{2}$$

Sé que
$$\frac{1}{2} \times \frac{2}{2} = \frac{2}{4}$$

Entonces el enunciado numérico puede reescribirse:

$$\frac{3}{4} - \frac{2}{4} = \frac{1}{4}$$

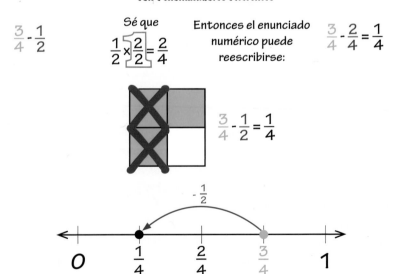

$$\frac{3}{4} - \frac{1}{2} = \frac{1}{4}$$

Suma y Resta de Números Mixtos ....

Al sumar o restar **números mixtos**, su estrategia puede depender de si los dos números comparten un denominador común.

Con el Mismo Denominador

$$8\tfrac{4}{5} - 1\tfrac{3}{5}$$

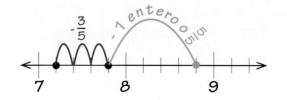

$8\tfrac{4}{5}$ menos 1 es $7\tfrac{4}{5}$. Reste $\tfrac{3}{5}$ más y obtiene $7\tfrac{1}{5}$.

Con Denominadores Diferentes

$$1\tfrac{2}{3} + 7\tfrac{1}{6}$$

$1\tfrac{4}{6} + 7\tfrac{1}{6}$

$= 8\tfrac{5}{6}$

Como $1\tfrac{2}{3} \times \tfrac{2}{2} = 1\tfrac{4}{6}$, puede reescribir el problema original.

Uso de la Descomposición

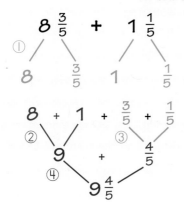

① Descomponga (separe) cada número en un entero y una fracción.

② Sume juntos cada número entero.

③ Sume juntas cada fracción.

④ Sume el número entero a la fracción para hallar el producto.

Resolución de Cuentos Matemáticos de Suma y Resta que Involucran Fracciones...

Compré $2\frac{1}{2}$ galones de pintura. Después de pintar mi habitación, todavía me quedaba $\frac{1}{4}$ de galón. ¿Cuánta pintura usé?

$2\frac{1}{2} = 2\frac{2}{4}$ Sé que $\frac{1}{2}$ es igual a $\frac{2}{4}$.

$2\frac{2}{4} - \frac{1}{4} = 2\frac{1}{4}$ galones

Usé $2\frac{1}{4}$ galones de pintura.

Mi receta requiere $\frac{2}{3}$ tazas de harina blanca y $2\frac{1}{5}$ tazas de harina de trigo integral. ¿Cuánta harina necesito para mi receta?

$\frac{2}{3} \times \frac{5}{5} = \frac{10}{15}$ $\frac{5}{5}$ es 1 entero, entonces es como multiplicar por 1.

$\frac{1}{5} \times \frac{3}{3} = \frac{3}{15}$

$\frac{10}{15} + 2\frac{3}{15} = 2\frac{13}{15}$ tazas

$\frac{2}{3}$ tazas de harina blanca

$2\frac{1}{5}$ tazas de harina de trigo integral

Necesito un poco menos de 3 tazas de harina.

 A veces cuando resolvemos cuentos matemáticos con fracciones es necesario considerar cuidadosamente las unidades de las cantidades. **Este es un error común de los estudiantes.**

Bill tenía $\frac{2}{3}$ taza de jugo. Bebió $\frac{1}{2}$ de su jugo.
¿Cuánto jugo le quedaba a Bill?

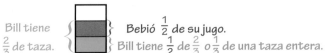

Bill tiene $\frac{2}{3}$ de taza. Bebió $\frac{1}{2}$ de su jugo.
Bill tiene $\frac{1}{2}$ de $\frac{2}{3}$ o $\frac{1}{3}$ de una taza entera.

Este problema no puede solucionarse restando $\frac{2}{3} - \frac{1}{2}$ porque $\frac{2}{3}$ se refiere a una taza de jugo, y $\frac{1}{2}$ se refiere a la cantidad de jugo que Bill tenía y no a un entero de taza de jugo.

Resolución de Cuentos Matemáticos de Multiplicación y División que Involucran Fracciones.................................

MULTIPLICACIÓN

DIVISIÓN

Grupos Iguales de Objetos

La receta de la abuela para muffins de banana requiere $\frac{3}{4}$ taza de avena. **Usted está preparando** $\frac{1}{2}$ de la receta. ¿Cuántas tazas de avena necesita usar?

$$\frac{1}{2} \cdot \frac{3}{4} = \boxed{}$$

$$\frac{1}{2} \cdot \frac{3}{4} = \frac{3}{8} \text{ taza}$$

Molly está siguiendo una receta de limonada que requiere $2\frac{1}{2}$ tazas de azúcar. **Encuentra 10 tazas de azúcar en la alacena,** ¿Cuántas tandas de limonada puede hacer?

$$10 \div 2\frac{1}{2} = \boxed{}$$

$$2\frac{1}{2} \times \boxed{} = 10$$

$$10 \div 2\frac{1}{2} = 4 \text{ tandas}$$

Matriz de Objetos

Fiona está arreglando su colección de estampillas en dos hileras. Si 1 estampilla tiene $\frac{3}{4}$ de una pulgada de ancho, ¿qué larga sería una hilera **de 12 estampillas?**

$$\frac{3}{4} \cdot 12 = \boxed{}$$

$$\frac{3}{4} \cdot 12 = 9 \text{ pulgadas}$$

Una camiseta pequeña requiere $\frac{3}{4}$ yardas de tela. ¿Cuántas camisetas pueden hacerse **de 48** yardas?

$$48 \div \frac{3}{4} = \boxed{}$$

$$\frac{3}{4} \cdot \boxed{} = 48$$

$$48 \div \frac{3}{4} = 64 \text{ camisetas}$$

Comparación

Un papá pesa $2\frac{1}{4}$ veces más que su hijo. Si el hijo pesa 60 libras, ¿cuánto pesa el papá?

$$60 \cdot 2\frac{1}{4} = \boxed{}$$

$$60 \cdot 2\frac{1}{4} = 135 \text{ libras}$$

Un nuevo scooter Razor está de oferta por $60.00. Su precio regular es $90.00. ¿Qué fracción del precio regular es el precio de oferta?

$$60 \div 90 = \boxed{}$$

$$60 \div 90 = \frac{2}{3}$$

Multiplicación de Fracciones por Números Enteros ....

Cuando usted **multiplica** un número entero por una fracción que es menor que 1, el **producto** es menor que el número entero original porque solo está tomando una parte de este.

- "x" significa "de" o "grupos de"
- 3 x 4 significa "3 grupos de 4"
- $\frac{2}{3}$ x 15 significa "$\frac{2}{3}$ of 15"

¿Qué es $\frac{2}{3}$ de 15? $\frac{2}{3} \times 15 = \boxed{}$

Método de Dibujos

Barb tiene 15 manzanas y desea compartir $\frac{2}{3}$ con su vecino. ¿Cuántas manzanas regalará?

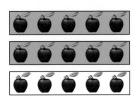

Si reparto mis manzanas en 3 grupos iguales, creo tercios.

Hay 5 manzanas en $\frac{1}{3}$ de 15 manzanas.

$$\frac{1}{3} \times 15 = 5$$

Hay 10 manzanas en $\frac{2}{3}$ de 15 manzanas.

$$\frac{2}{3} \times 15 = 10$$

Barb regalará 10 manzanas.

Método Tradicional

$$\frac{2}{3} \times 15 \overset{①}{=} \frac{2}{3} \times \overset{②}{\frac{15}{1}} = \overset{④}{\frac{2 \times 15 \rightarrow 30}{3 \times 1 \rightarrow 3}} = 10$$

③

① Escriba el número entero como una fracción sobre 1.

② Multiplique los numeradores (arriba), el resultado es su nuevo numerador.

③ Multiplique los denominadores (abajo), el resultado es su nuevo denominador.

④ Renombre como una fracción equivalente más sencilla o número entero, si es posible.

Multiplicación de Fracciones por Fracciones ....

Al multiplicar fracciones, a veces es útil empezar con una representación visual.

$$\frac{2}{3} \times \frac{1}{2} \qquad \text{es lo} \atop \text{mismo que} \qquad \frac{2}{3} \, de \, \frac{1}{2}$$

Método de Dibujos

Comience con $\frac{1}{2}$ y separe esta parte en tercios.

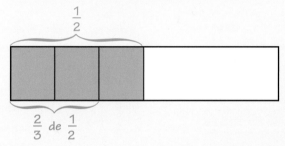

$\frac{2}{3}$ de la mitad **que empezó es igual a** 2 de 3 partes de la mitad **lo que podría entrar en el entero** $\frac{2}{3} \times \frac{1}{2} = \frac{2}{6}$.

Renombre su fracción con una fracción equivalente más sencilla.

$$\frac{2}{6} \div \frac{2}{2} = \frac{1}{3}$$

Método Tradicional

$$\frac{2}{3} \times \frac{1}{2} = \frac{2 \times 1}{3 \times 2} \genfrac{}{}{0pt}{}{\longrightarrow 2}{\longrightarrow 6} = \frac{1}{3}$$

① Multiplique los numeradores (arriba), el resultado es su nuevo numerador.

② Multiplique sus denominadores (abajo), el resultado es su nuevo denominador.

③ Renombre como una fracción equivalente más sencilla, si es posible.

Multiplicación de fracciones con Números Mixtos ....

Hay varias estrategias diferentes para **multiplicar fracciones** con **números mixtos**. Abajo hay 3 de estas:

$$\frac{1}{2} \times 4\frac{2}{3} \quad \text{es lo mismo que} \quad \frac{1}{2} \ de \ 4\frac{2}{3}$$

Método de Dibujos

Comience con $4\frac{2}{3}$ y determine cuánto sería la mitad:

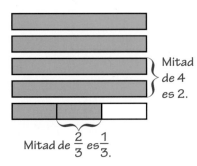

Mitad de 4 es 2.

Mitad de $\frac{2}{3}$ es $\frac{1}{3}$.

$$\frac{1}{2} \times 4\frac{2}{3} = 2\frac{1}{3}$$

Método de Descomposición*

$$\frac{1}{2} \quad \times \quad 4\frac{2}{3}$$

$$\left(\frac{1}{2} \times 4\right) + \left(\frac{1}{2} \times \frac{2}{3}\right)$$

$$2 + \frac{2}{6}$$

$$= 2\frac{2}{6}$$

*Vea página 91 para pasos.

Método Tradicional

Primero, convierta el número mixto en una fracción impropia:

$$\frac{1}{2} \times 4\frac{2}{3}$$

$$\frac{1}{2} \times \left(\frac{12}{3} + \frac{2}{3}\right)$$

$$\frac{1}{2} \times \frac{14}{3}$$

$$\frac{1 \times 14}{2 \times 3} = \frac{14}{6}$$

Como estoy trabajando con tercios, un entero es $\frac{3}{3}$.

Tengo 4 enteros $\frac{3}{3} + \frac{3}{3} + \frac{3}{3} + \frac{3}{3}$ o $\frac{12}{3}$.

Luego, renombre su respuesta de una fracción impropia nuevamente a un **número mixto**:

¡Simplifique!

$$\frac{14}{6} = \frac{6}{6} + \frac{6}{6} + \frac{2}{6} = 2\frac{2}{6} = 2\frac{1}{3}$$

Las fracciones no siempre se renombran a fracciones equivalentes más sencillas.

Multiplicación de Fracciones por Fracciones Usando la Descomposición..........

Puede multiplicar dos fracciones usando la descomposición, de la misma manera que multiplicaría dos números enteros. (Vea página 47).

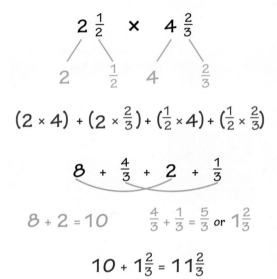

① Descomponga (separe) cada número en un entero y una fracción.

② Multiplique cada parte el primer número por cada parte del segundo número.

③ Sume juntos cada producto parcial.

④ Ahora tiene la respuesta (producto).

91

División con Fracciones.......................................

Cuando **divide fracciones**, está determinando cuántas veces el segundo número (divisor) "entra en" el primer número (dividendo), de la misma manera cuando divide números enteros.

dividendo ÷ divisor = cociente

Número Entero ÷ Número Entero

$$12 \div 3$$

Pregunte
"¿cuántos grupos de 3 hay en 12?"

Método de Dibujos

Hay
cuatro
grupos de 3 en 12.

Número Entero ÷ Fracción

El vestido de una muñeca requiere $\frac{1}{2}$ yarda de tela. ¿Cuántos vestidos puedo hacer con 4 yardas?

$$4 \div \frac{1}{2}$$

Pregunte
"¿cuántos grupos de $\frac{1}{2}$ hay en 4?""

Método de Dibujos

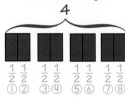

$$\frac{1}{2}\ \frac{1}{2}\quad \frac{1}{2}\ \frac{1}{2}\quad \frac{1}{2}\ \frac{1}{2}\quad \frac{1}{2}\ \frac{1}{2}$$
$$①②\quad ③④\quad ⑤⑥\quad ⑦⑧$$

Hay
ocho
grupos de $\frac{1}{2}$ en 4.

Método de Denominador Común

$$4 \div \frac{1}{2} = \frac{8}{2} \div \frac{1}{2} = \frac{8 \div 1}{2 \div 2} = \frac{8}{1} = 8$$

Puedo renombrar 4 como $\frac{8}{2}$ al multiplicar $4 \times \frac{2}{2}$ para que mis fracciones tengan un denominador común. Luego, divido.

División con Fracciones (continúa).............

Fracción ÷ Fracción

$$\frac{3}{4} \div \frac{1}{8}$$

Pregunte

"¿cuántos grupos de $\frac{1}{8}$ hay en $\frac{3}{4}$?"

Método de Dibujos

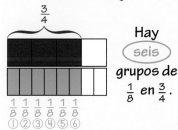

Hay seis grupos de $\frac{1}{8}$ en $\frac{3}{4}$.

Método de Denominador Común*

$$\frac{3}{4} \div \frac{1}{8} = \frac{6}{8} \div \frac{1}{8} = \frac{6 \div 1}{8 \div 8} = \frac{6}{1} = 6$$

*Vea página 82 para más ayuda en hallar denominadores comunes.

Fracción ÷ Fracción Mayor

$$\frac{1}{4} \div \frac{1}{2}$$

Pregunte "¿cuántos grupos de $\frac{1}{2}$ hay en $\frac{1}{4}$?"

Método de Dibujos

Esto representa tener $\frac{1}{4}$ del cuadrado.

Esto representa dividir el cuadrado en partes que son $\frac{1}{2}$ del cuadrado.

¿Cuántas partes de tamaño $\frac{1}{2}$ del cuadrado hay en cada $\frac{1}{4}$ del cuadrado?

Hay $\frac{1}{2}$ de una parte de $\frac{1}{2}$ del cuadrado en cada $\frac{1}{4}$ del cuadrado.

Método de Multiplicación Recíproca

$$\frac{1}{4} \div \frac{1}{2} = \frac{1}{4} \times \frac{2}{1} = \frac{2}{4} = \frac{1}{2}$$

Puedo dividir fracciones al multiplicar por el recíproco. Por ejemplo, el recíproco de $\frac{1}{2}$ es $\frac{2}{1}$ o 2. El numerador (arriba) y el denominador (abajo) intercambian lugares.

93

Relaciones entre Fracciones, Decimales y Porcentajes

Las fracciones, decimales y porcentajes pueden usarse para escribir el mismo número en formas diferentes. Se espera que los estudiantes de la escuela media reconozcan las diferentes formas del mismo número y tengan la flexibilidad de cambiar entre las formas que sean mejores para la situación. Los estudiantes deben desarrollar una comprensión sólida de las fracciones antes de extender esa comprensión a los decimales y los porcentajes. Por eso se estudian los decimales en los grados posteriores.

Relaciones entre Fracciones, Decimales, Porcentajes y Razones ....

Cualquier número que puede escribirse como una razón (comparación de dos números) con números enteros (positivos y negativos o cero) es considerado un **número racional**. Las fracciones, los decimales y los porcentajes caen todos en esa categoría.

Razones

Las **razones** comparan dos números y se escriben a menudo en forma de fracción.

Katie tiene 30 CD, Craig tiene 20 CD. ¿Cuánto más grande es la colección de Katie?

$$\frac{\text{CD de Katie}}{\text{CD de Craig}} = \frac{30}{20} = 1\frac{1}{2}$$

Razón en forma de fracción.

La colección de Katie es $1\frac{1}{2}$ veces más grande que la de Craig

CD de Katie : CD de Craig
30 : 20
3 : 2

Razón usando dos puntos.

Por cada 3 CD que Katie tiene, Craig tiene 2.

Tres a dos.

Fracciones

Las **fracciones** son números que representan parte de un entero o parte de un grupo.

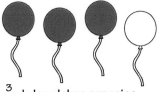

$\frac{3}{4}$ de los globos son rojos.

Porcentajes

La palabra **porcentaje** proviene de una palabra del latín que significa "por cien". En matemáticas, un porcentaje es una fracción con un denominador de 100.

$$45\% = \frac{45}{100} =$$

$$98\% = \frac{98}{100} =$$

Decimales

Los **decimales** son fracciones con un juego especial de denominadores (décimos, centésimos, milésimos, ...). En vez de escribirse usando un signo de fracción, se escriben usando un punto decimal.

$$\frac{7}{10} = \text{siete décimos} = 0.7 \qquad \frac{84}{100} = \text{ochenta y cuatro centésimos} = 0.84$$

96

Fracciones Decimales ....

Las fracciones con un denominador (número de abajo) de 10 o 100 son a veces llamadas **fracciones decimales** y son fáciles de convertir a decimales o dinero.

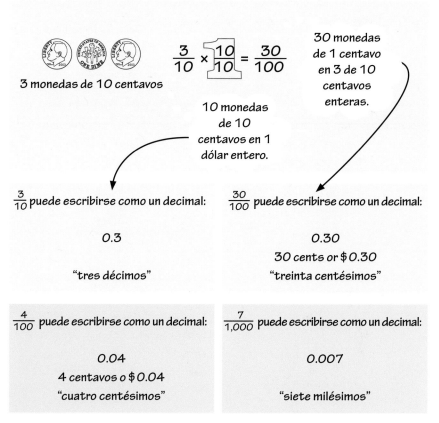

3 monedas de 10 centavos

$$\frac{3}{10} \times \frac{10}{10} = \frac{30}{100}$$

10 monedas de 10 centavos en 1 dólar entero.

30 monedas de 1 centavo en 3 de 10 centavos enteras.

$\frac{3}{10}$ puede escribirse como un decimal:

0.3

"tres décimos"

$\frac{30}{100}$ puede escribirse como un decimal:

0.30

30 cents or $0.30

"treinta centésimos"

$\frac{4}{100}$ puede escribirse como un decimal:

0.04

4 centavos o $0.04

"cuatro centésimos"

$\frac{7}{1,000}$ puede escribirse como un decimal:

0.007

"siete milésimos"

Se necesitan 10 monedas de 1 centavo para tener una moneda de 10 centavos y 10 monedas de 10 centavos para tener un dólar. Esta relación de 10 a 1 funciona para todos los dígitos que están uno al lado del otro en nuestro sistema de valor de posición al movernos de derecha a izquierda.

Conversión de Fracciones a Decimales y Porcentajes ....

Las fracciones pueden escribirse como un **decimal** o un **porcentaje**.

Una manera de convertir una fracción a un decimal es haciendo fracciones equivalentes con un denominador de 10; 100; 1,000; etc.

$$\frac{1}{2} \times \frac{5}{5} = \frac{5}{10} = 0.5 \qquad\qquad \frac{3}{4} \times \frac{25}{25} = \frac{75}{100} = 0.75$$

Sé que 2 x 5 es 10, por lo que multiplicaré por $\frac{5}{5}$ para cambiar mi denominador a 10.

Sé que 4 x 25 es 100, por lo que multiplicaré por $\frac{25}{25}$ para cambiar mi denominador a 100.

Otra manera de convertir una fracción a un decimal es dividir. Esto funciona porque una fracción es una manera de mostrar división.

Piensa

$$\frac{1}{8} = 1 \div 8.$$

$$
\begin{array}{r}
.125 \\
8\overline{)1.000} \\
-\,8 \downarrow \\
\hline
20 \\
-16\downarrow \\
\hline
40 \\
-40 \\
\hline
0
\end{array}
$$

Porcentaje significa "por cien." Usted puede usar fracciones o decimales escritos en centésimas o por cientos para nombrar el mismo número.

$$\frac{71}{100} = 0.71 = 71\%$$

Razones y Tasas

Las razones y tasas son útiles en matemáticas y en la vida. Cuando desea hacer 3 docenas de galletas, pero su receta solo hace 1 docena, usted usa razones para calcular cuánto de cada ingrediente necesita para hacer las galletas adicionales. Cuando ve que las bananas cuestan $1 por 4 libras, pero solo necesita 1 libra, usted usa tasas para hallar cuánto costarán las bananas.

Razones..

Las **razones** comparan dos o más números y pueden escribirse de maneras diferentes.

Estas son algunas maneras de comparar pelotas en la caja de juguetes de Christian.

Puede usar una razón para comparar una parte con un entero.

La razón de las pelotas de béisbol a todas las pelotas es 2 a 7.
Por cada 2 pelotas de béisbol en la caja, hay 7 pelotas en total.

Esta razón puede escribirse como:
$$2 : 7 \text{ or } \frac{2}{7}$$

Puede usar una razón para comparar una parte con otra parte.

La razón de las pelotas de béisbol a las pelotas playeras es 2 a 1.
Por cada 2 pelotas de béisbol en la caja, hay 1 pelota playera.

Esta razón puede escribirse como:
$$2 : 1 \text{ or } \frac{2}{1}$$

Puede usar una razón para comparar un grupo entero con otro grupo entero.

La razón de las pelotas de Christian a las de su hermano Mark es 7 a 10.
Por cada 7 pelotas que Christian tiene, Mark tiene 10.

Esta razón puede escribirse como:
$$7 : 10 \text{ or } \frac{7}{10}$$

Uso de Razones como Tasas...........................

Las **tasas** son razones que muestran dos unidades diferentes y cómo se relacionan entre sí. Cuando tiene una tasa, puede hallar un número ilimitado de razones equivalentes (razones que son iguales). Usted puede usar razones como tasas para convertir una unidad de medición a otra; como de pulgadas a yardas o de días a segundos.

Conversión de Unidades de Medición

1. Escriba una razón que tenga la unidad que ya conoce en la parte inferior y la unidad a la que está convirtiendo en la parte superior. Esta razón se llama **factor de conversión**.

2. Luego multiplique el **factor de conversión** por la unidad que ya conoce.

¿Cuántos pies de cerca debe comprar para que rodee la piscina que tiene un perímetro de 24 yardas?

Paso 1	Step 2
Hay 3 pies en 1 yarda, por lo tanto el factor de conversión es:	Necesito calcular cuántos pies hay en 24 yardas, entonces establezco mi razón de esta manera:

$$\frac{\text{pies}}{\text{yardas}} \longrightarrow \frac{3}{1} \qquad \frac{\text{pies}}{\text{yardas}} \longrightarrow \frac{3}{1} \times 24 \text{ yardas} = 72 \text{ pies}$$

Necesito comprar 72 pies de cerca para rodear la piscina.

Puedo multiplicar una unidad de medición
por la tasa (factor de conversión) para
hallar cualquier medida equivalente.

Razones Equivalentes ....

Puede usar varias estrategias diferentes para ilustrar **razones equivalentes**.

Diagrama de Cinta

Sam está preparando limonada. La receta requiere 3 partes de jugo de limón por cada 4 partes de agua. Si Sam tiene ya vertidas 8 tazas de agua en su recipiente, ¿cuánto jugo de limón debería agregar?

Como 8 tazas de agua se puede dividir en 4 partes de 2 tazas de agua:

Luego cada parte de jugo de limón también sería 2 tazas:

Jugo de limón: | 2t | 2t | 2t |

Entonces, Sam necesita agregar 6 tazas de jugo de limón para hacer su limonada.

Recta Numérica Doble

Molly está caminando su perro. Ella camina 5 metros cada 2 segundos. ¿Qué lejos caminará en 8 segundos?

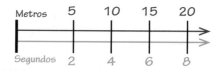

Si Molly camina a una velocidad constante, viajará 20 metros en 8 segundos.

Razones Equivalentes (continúa)...............

Tabla de Razones

Una receta requiere que se agreguen 2 onzas de jugo de pera por cada 5 onzas de jugo de manzana. Si tengo 8 onzas de jugo de pera, ¿cuánto jugo de manzana necesitaría agregar?

Jugo de Manzana	Jugo de Pera
5	2
10	4
15	6
x	8

+ 5   + 2
+ 5   + 2
+ 5   + 2

Puedo repetidamente sumar 5 onzas de jugo de manzana por cada 2 onzas de jugo de pera y registrarlo en una tabla.

$15 + 5 = 20$

Necesito 20 onzas de jugo de manzana.

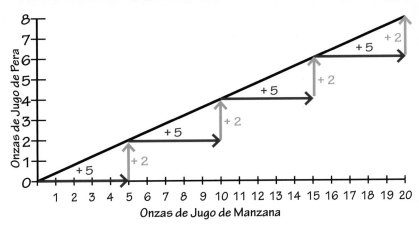

Además, puedo mostrar repetidamente que sumo 5 onzas de jugo de manzana por cada 2 onzas de jugo de pera en una gráfica.

103

Razones Equivalentes (continúa).................

Si 2 libras de frijoles cuestan $ 5, ¿cuánto costarán 9 libras de frijoles?

<u>Estrategia 1</u>
Tabla de Tasas

Libras	$
1	2.50
2	5
4	10
6	15
8	20

20 + 2.50 = 22.50

Si 8 libras cuestan $ 20 y una libra más es $ 2.50, eso es $ 22.50 en total por todas las 9 libras de frijoles.

<u>Estrategia 2</u>
Tasas por Unidad

Libras	$
2	5
1	2.50
9	22.50

Si 1 libra es la mitad del precio de 2 libras, eso es $ 5 ÷ 2 o $ 2.50. Puedo multiplicar eso por 9 para hallar el costo de 9 libras. 9 x $ 2.50 = $ 22.50.

<u>Estrategia 3</u>
Razonamiento Multiplicativo

① Haga una tabla para mostrar la relación entre la cantidad de frijoles y el costo (c).

①

	Tasa que Conocemos	Tasa que Deseamos
Libras	2 ×4.5 9	
$	5 ×4.5 c	

¿Por qué multipliqué para ir de 2 a 9? (4.5)

② Halle el número por el cual multiplicó la "Tasa que conocemos" para obtener la "Tasa que deseamos".

② 2 × ☐ = 9
2 × 4.5 = 9

③ 5 × 4.5 = c
c = 22.50

Puedo multiplicar 5 por el mismo número (4.5) para hallar cuánto costarán 5 libras de frijoles.

③ Multiplique la otra "Tasa que conocemos" por el resultado del Paso 2 para hallar el valor que falta (c).

Expresiones Algebraicas, Ecuaciones y Desigualdades

El pensamiento algebraico comienza en los grados primarios, pero lo que usted podría reconocer como "algebra" empieza en la escuela media. Aunque el pensamiento algebraico aparenta ser diferente en los grados menores, los niños aún lo usan para que los cuentos matemáticos tengan sentido y para hacer generalizaciones en todas las áreas de matemáticas.

Al usar álgebra, se alejan de hallar la respuesta para un solo problema y se acercan a saber cómo resolver cualquier problema parecido. Están aprendiendo a comprender matemáticas, en vez de aprender que un solo problema tenga sentido. Esto es donde yace el poder de las matemáticas.

Vocabulario de Álgebra...

Término

Las partes de una expresión separadas por signos de + o -, a menos que los signos estén entre paréntesis.

$$6x^2 - 5x + (4 - 2x) + 2$$

Esta expresión tiene 4 términos: $6x^2$, $5x$, $(4 - 2x)$ y 2.

Coeficiente

Un número usado para multiplicar una variable.

$$4x - 7 = 5$$

Coeficientes

$$6z$$

Suma

El resultado de un problema de adición.

$$a + b = c$$

Suma

Diferencia

El resultado de un problema de resta.

$$m - j = k$$

Diferencia

Producto

El resultado de un problema de multiplicación.

$$18 \cdot c = 18c$$

Producto

Cociente

El resultado de un problema de división.

$$\frac{14x}{2} = y$$

Cociente

Factor

Un número entero que se divide uniformemente en otro.

$$2 \times 6 = 12$$

2 y 6 son factores de 12.

Variable

Un símbolo (cualquier letra o ☐) que representa un número que aún se desconoce.

$$n + 2 = 6$$
$$7 + 9 = ☐$$

n y ☐ son variables.

Escribir Expresiones ....

Una **expresión** es un grupo de términos que representan números, desconocidos y operaciones. Una expresión no tiene un signo igual. Cuando necesita traducir un cuento matemático en una expresión, usted usa números cuando sabe lo que son. Usa variables cuando no sabe los números.

Problema	Expresión
Muestre una bolsa llena más 3 más	$b + 3$
Muestre una bolsa en la que faltan 3.	$b - 3$
Muestre 3 bolsas llenas.	$3b$ o $3 \times b$
Muestre una bolsa llena separada en grupos de 3.	$b \div 3$ o $\dfrac{b}{3}$

Problema	Expresión
Sume 8 y 7, luego multiplique por 2.	$2(8 + 7)$
Sume 8 y 27, luego sume 2 más.	$(8 + 27) + 2$
Multiplique 6 y 30 y súmelo al producto de 6 por 7.	$(6 \times 30) + (6 \times 7)$

A veces no es necesario calcular una respuesta pero en su lugar poder reconocer el tamaño comparativo de la respuesta.
- $5(12 + 9)$ es 5 veces más grande que $12 + 9$
- $3(18,972 + 921)$ es tres veces más grande que $18,972 + 921$

Evaluación de Expresiones ....

Cuando **evalúa** una **expresión**, sustituye el número dado por cada variable que encuentra en una expresión.

Evalúe si x = $\frac{1}{2}$

$2(4 + x) - 1$

$2(4 + \frac{1}{2}) - 1$

$2(4\frac{1}{2}) - 1$

$9 - 1$

$= 8$

Resuelto usando el orden de las operaciones*.

$2(4 + x) - 1$

$2(4 + \frac{1}{2}) - 1$

$(2 \cdot 4) + (2 \cdot \frac{1}{2}) - 1$

$8 + 1 - 1$

$= 8$

Resuelto usando la propiedad distributiva.

$\frac{1}{2}[24(x - \frac{1}{4})]$

$\frac{1}{2}[24(\frac{1}{2} - \frac{1}{4})]$

$\frac{1}{2}[24(\frac{1}{4})]$

$\frac{1}{2}[6]$

$= 3$

*Vea la página 16 para más información del orden de las operaciones.

$\frac{1}{2}[24(x - \frac{1}{4})]$

$\frac{1}{2}[24(\frac{1}{2} - \frac{1}{4})]$

$\frac{1}{2}[(24 \cdot \frac{1}{2}) - (24 \cdot \frac{1}{4})]$

$\frac{1}{2}[12 - 6]$

$(\frac{1}{2} \cdot 12) - (\frac{1}{2} \cdot 6)$

$6 - 3$

$= 3$

Generación y Análisis de Patrones...............

Un **patrón** es una secuencia que repite el mismo proceso una y otra vez. Un **Tabla T** es una herramienta que se usa para ayudar a ver patrones de números.

Hay 2 canicas en el jarro. Cada día, se agregan 4 canicas.
¿Cuántas canicas hay en el jarro para cada uno de los 5 primeros días?

Día	Canicas		
0	2	+ 4	
1	6	+ 4	¡Si sumo 4 cada
2	10	+ 4	día, habrá 22
3	14	+ 4	canicas al final
4	18	+ 4	del día 5!
5	22		

La investigación de patrones de números lleva a identificar reglas y a observar características únicas.

Patrón	Regla	Características
5, 10, 15, 20...	empiece con 5, sume 5	Los números son múltiplos de 5 Todos terminan en 5 o 0 Los números que terminan en 0 son productos de 5 y un número par
3, 8, 13, 18, 23...	empiece con 3, sume 5	Los números terminan en 3 u 8 en forma alternada

Escribir Ecuaciones ....

Una **ecuación** es una oración matemática. Siempre tiene un signo de = que muestra que las expresiones son iguales. Cuando necesita traducir un cuento matemático en una ecuación, piense en las cantidades que son iguales entre sí. Luego, escriba una expresión para cada cantidad.

Susan tiene 15 piezas de goma de mascar. ¿Cuántas piezas hay en cada paquete si ella tiene 2 paquetes y 3 piezas adicionales?

$$15 = 2p + 3$$

p es el número de piezas de goma de mascar en cada paquete.

Sam gana $ 5 por hora por trabajar en el jardín, más $ 20 cuando termina el jardín. Si ganó $ 35, ¿cuántas horas trabajó?

$$5h + 20 = 35$$

h es el número de horas que trabajó en el jardín.

Daniel fue a visitar a su abuela que le dio $ 5.50. Luego, él compró un libro que costó $ 9.20. Si le quedan $ 2.30, ¿cuánto dinero tenía antes de visitar a su abuela?

Expresión $x + 5.50 - 9.20$
Ecuación $x + 5.50 - 9.20 = 2.30$

x es la cantidad de dinero que Daniel tenía antes de visitar a su abuela.

¿Cuántas estampillas de 44¢ puede comprar con $ 11?

$$11 \div 0.44 = n$$

o

$$0.44n = 11$$

¡Estas son ambas ecuaciones!

n es el número de estampillas que puede comprar.

Resolver Ecuaciones (dos pasos) ....

Cuando **resuelve** una **ecuación**, halla los valores para las variables que la hacen verdadera.

¡Todo lo que haga en un lado de la ecuación, debe hacerlo también del otro lado!

La suma y la resta se "anulan" una a la otra. Se llaman **operaciones inversas.** La multiplicación y la división se "anulan" una a la otra también.

$$15 = 2p + 3$$

① Reste 3 de cada lado de la ecuación.

① $15 - 3 = 2p + 3 - 3$
$$12 = 2p$$

② Divida ambos lados entre 2, para poder hallar el valor de 1 p.

② $\dfrac{12}{2} = \dfrac{2p}{2}$
$$6 = p$$

$$5h + 20 = 35$$

① Reste 20 de cada lado de la ecuación.

① $5h + 20 - 20 = 35 - 20$
$$5h = 15$$

② Divida ambos lados entre 5, para poder hallar el valor de 1 h.

② $\dfrac{5h}{5} = \dfrac{15}{5}$
$$h = 3$$

Resolver Ecuaciones (continúa) ....

Muchos problemas del mundo real involucran dos **variables** que cambian en relación una a la otra.

Un auto está viajando en una autopista a una velocidad de 65 millas por hora. Exprese esta velocidad constante en relación a la distancia y tiempo. Luego determine la distancia que viajó el automóvil después de 1, 2 y 3 horas de viaje.

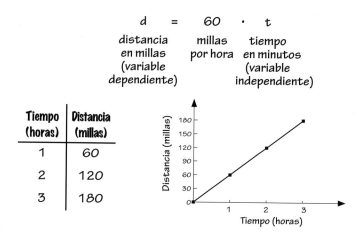

$$d \quad = \quad 60 \quad \cdot \quad t$$

distancia en millas (variable dependiente)   millas por hora   tiempo en minutos (variable independiente)

Tiempo (horas)	Distancia (millas)
1	60
2	120
3	180

Una **variable** es todo lo que está tratando de medir. Hay dos tipos de variables: independientes y dependientes.

Una **variable independiente** está sola y las otras variables que trata de medir no la cambian. De hecho, esta causa un cambio en las otras variables o variables dependientes.

Una **variable dependiente** es algo que depende de otros factores.

Para decidir qué variable es independiente y cuál es dependiente, solo ingrese los nombres en esta oración:
La <u>variable independiente</u> causa un cambio en la <u>variable dependiente</u>, y no es posible que una <u>variable dependiente</u> pueda causar un cambio en una <u>variable independiente</u>.

Por ejemplo: <u>El tiempo</u> causa un cambio en <u>la distancia</u> y no es posible que <u>la distancia</u> pueda causar un cambio en <u>el tiempo</u>.

Resolver Desigualdades..

Mientras que una ecuación tiene un signo de = para mostrar que las expresiones son iguales, una **desigualdad** no contiene el signo de =. En su lugar, una desigualdad contiene un signo diferente como los que se muestran abajo:

$\neq$	$>$	$<$	$\geq$	$\leq$
no igual	mayor que	menor que	mayor que o igual	menor que o igual

 Usted resuelve **desigualdades** con + o - de la misma manera que resuelve ecuaciones: todo lo que hace a un lado de una desigualdad, debe hacerlo en el otro lado.

Un número (*n*) menos cuatro es mayor que dos.

$$n - 4 > 2$$
$$n - 4 + 4 > 2 + 4$$
$$n > 6$$

La suma de x más cinco es menor o igual que menos dos.

$$x + 5 \leq -2$$
$$x + 5 - 5 \leq -2 - 5$$
$$x \leq -7$$

El círculo abierto significa que 6 no está incluido como la solución, solo números mayores que 6.

El círculo relleno significa que -7 es una posible solución.

Entonces, *n* podría ser cualquier número mayor que 6 para hacer una declaración verdadera.

Entonces, x podría ser cualquier número menor que o igual a -7 para hacer una declaración verdadera.

 Desigualdades tienen una cantidad infinita de soluciones posibles, por lo tanto es más fácil mostrar respuestas en una recta numérica.

Planos de Coordenadas

Los planos de coordenadas nos ayudan a describir dónde se ubica un objeto. Si ha visto un mapa en una cuadrícula, entonces ha visto un plano de coordenadas. Ciudades y centros comerciales a menudo muestran mapas en planos de coordenadas para ayudarlo a localizar la calle o tienda que desea hallar. Mostrar dónde se ubican objetos es una importante idea de geometría.

Geometría de Coordenadas..............................

Una **cuadrícula de coordenadas** es una manera de ubicar puntos en una superficie plana. Para dibujar una cuadrícula de coordenadas, usted dibuja una recta horizontal (llamada el eje x) y una recta vertical (llamada el eje y). El punto donde estas dos rectas se intersecan se llama origen.

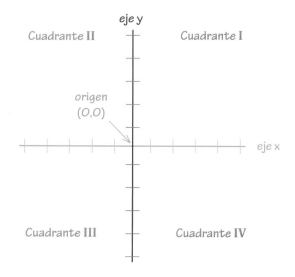

Los ejes dividen al plano en 4 secciones llamadas cuadrantes.

Los cuadrantes se rotulan con números romanos
para uno (I), dos (II), tres (III) y quatro (IV),
empezando en la esquina superior derecha y
moviéndose en contra de las manecillas del reloj.

Plano de Coordenadas ....

Puede nombrar cualquier punto en un **plano de coordenadas** con dos números (llamado **pares ordenados** o **coordenadas**). El primer número muestra qué lejos está el punto de lado a lado a lo largo del **eje x**, y se llama la **coordenada x**. El segundo número es qué lejos está el punto arriba hacia abajo a lo largo del **eje y**, y se llama **coordenada y**.

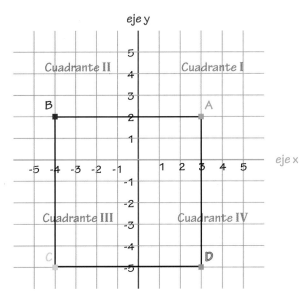

Para rectángulo ABCD:

Punto	Par Ordenado	Cuadrante
A	(3, 2)	Cuadrante I
B	(-4, 2)	Cuadrante II
C	(-4, -5)	Cuadrante III
D	(3, -5)	Cuadrante IV

Para hallar el largo de $\overline{AB}$, puede sumar el valor absoluto* de cada coordenada x: $|3| + |-4| = 3 + 4 = 7$.

Para hallar el largo de $\overline{AD}$, puede sumar el valor absoluto* de cada coordenada y: $|2| + |-5| = 2 + 5 = 7$.

*Vea la página 72 para más información sobre valor absoluto.

Representar Datos en un Plano de Coordenadas ....

Cuando representamos puntos en un **plano de coordenadas**, el valor de y depende del valor de x. Esto significa que podemos elegir un valor para x, pero tan pronto como lo hacemos, el valor de y cambia.

  x = variable independiente
y = variable dependiente

$$y = 3\,(x) + 2$$

Si elegimos 1, 2, 3 y 4 para los valores de x, ¿cuáles serán los valores de y?

x	Substituya x en la ecuación para determinar y	y
1	3(1) + 2 = 3 + 2 = 5	5
2	3(2) + 2 = 6 + 2 = 8	8
3	3(3) + 2 = 9 + 2 = 11	11
4	3(4) + 2 = 12 + 2 = 14	14

Los pares ordenados para esta función serían:

(1, 5), (2, 8), (3, 11), (4, 14)

x	y	(x, y)
1	5	(1, 5)
2	8	(2, 8)
3	11	(3, 11)
4	14	(4, 14)

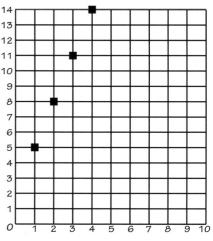

Matt almorzó con su primo que vivía a 2 millas de su casa. Luego caminó en la misma dirección a la casa de su abuela a una velocidad de 3 mph. Después de caminar 1 hora, ¿qué lejos estaba Matt de su casa?

Podemos usar ecuaciones, tablas y gráficas para modelar y resolver problemas del mundo real.

Representar Patrones Numéricos ....

Las cuadrículas de coordenadas también pueden usarse para analizar dos patrones de números generados al usar reglas dadas. Hay varias cosas que necesitamos saber sobre patrones: la regla, el patrón y las características del patrón.

Regla	Patrón	Características
empiece con 0, sume 3	0, 3, 6, 9, 12, 15, 18, 21, ...	La suma de los dígitos es múltiple de 3
empiece con 0, sume 6	0, 6, 12, 18, 24, 30, 36, ...	Todos los números son pares Todos los números son múltiplos de 6

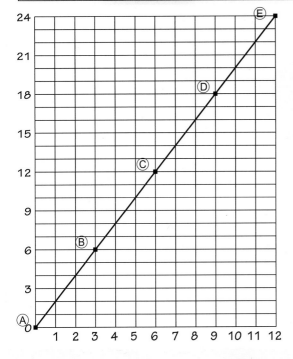

Puedo usar los patrones para crear pares de números y luego representar esos pares en un plano de coordenadas.

Pares de números:
Ⓐ (0, 0)
Ⓑ (3, 6)
Ⓒ (6, 12)
Ⓓ (9, 18)
Ⓔ (12, 24)

Regla	Patrón				
suma 3	0	3	6	9	12
suma 6	0	6	12	18	24

Geometría

Cuando los niños estudian geometría, están haciendo más que solo aprender sobre figuras. Los estudiantes jóvenes aprenden cómo colocar figuras juntas para construir nuevas figuras (componer) o separar figuras en otras figuras (descomponer). Esto construye la idea de que los números pueden componerse o descomponerse también, lo cual es fundamental para álgebra.

Atributos de las Figuras ....

Las figuras se describen o categorizan con mayor frecuencia por **atributos distintivos**.

Atributos de las Figuras

- Número de lados
- Número de ángulos
- Vértices (págs. 129, 133)
- Lados congruentes (pág. 124)
- Lados adyacentes (pág. 124)

- Lados paralelos (pág. 123)
- Lados perpendiculares (pág. 123)
- Simetría (pág. 124)
- Tipos de ángulos (págs. 125-126)

Atributo Distintivo

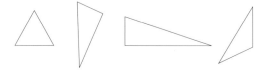

Estas tres figuras son triángulos. Cada una de ellas tiene 3 lados y 3 vértices (ángulos / esquinas).

Un **atributo distintivo** es una característica específica como el número de lados, número de vértices o el largo de cada lado.

Atributo no Distintivo

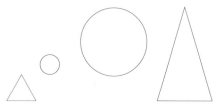

Un **atributo no distintivo** es una característica que podría describir una variedad de figuras, como el color o tamaño.

Las figuras de la derecha son grandes, las figuras de la izquierda son pequeñas.

Vocabulario de Geometría................................

Punto	Recta	Semirrecta	Segmento de Recta
● K	F ⟷ G	O ⟶ P	S ⸺ F
Una posición exacta en el espacio.	Un camino derecho de puntos que no tiene extremos.	Una recta que tiene 1 extremo y continúa indefinidamente en la otra dirección.	Parte de una recta que tiene 2 extremos.
Este es el punto K.	Esta es la recta $\overleftrightarrow{FG}$.		Este es el segmento de recta $\overline{SF}$.
		Esta es la semirrecta $\overrightarrow{OP}$.	

Paralelo

Rectas paralelas nunca se cruzan porque, como las vías del tren, siempre están a la misma distancia de separación sin importar qué lejos se extiendan las rectas.

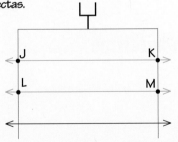

Las líneas de yardas en un campo de fútbol americano son **paralelas**.

$$\overleftrightarrow{JK} \parallel \overleftrightarrow{LM}$$

La recta $\overleftrightarrow{JK}$ es **paralela** a la recta $\overleftrightarrow{LM}$.

Perpendicular

Las rectas perpendiculares forman un ángulo recto (90°) donde se intersecan.

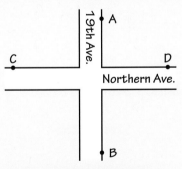

La Avenida Northern y la Avenida 19th son calles **perpendiculares**.

$$\overleftrightarrow{AB} \perp \overleftrightarrow{CD}$$

La recta $\overleftrightarrow{AB}$ es **perpendicular** a la recta $\overleftrightarrow{CD}$.

Simetría ....

Cuando una figura puede doblarse de manera que tiene dos partes exacta-mente iguales, se dice que tiene una **línea de simetría.**

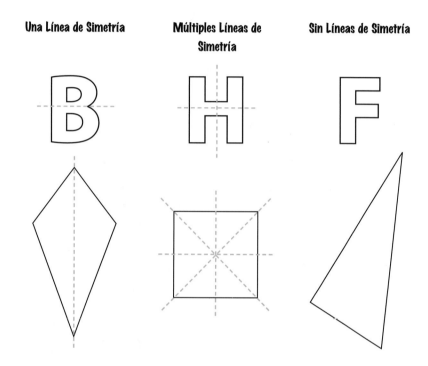

Una Línea de Simetría   **Múltiples Líneas de Simetría**   **Sin Líneas de Simetría**

Lados Adyacentes y Congruentes...................

Lados Adyacentes

Los lados adyacentes están uno al lado del otro y comparten un vértice.

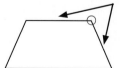

lados adyacentes

Lados Congruentes

Los lados congruentes tienen el mismo largo.

lados congruentes

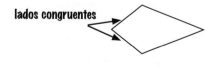

Ángulos ....

Un **ángulo** es un punto de giro. El tamaño del ángulo se determina midiendo qué lejos un lado está girado del otro lado.

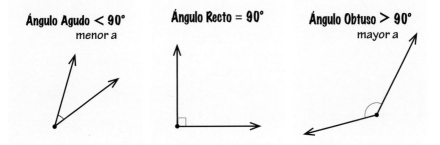

Ángulo Agudo < **90°**
menor a

Ángulo Recto = **90°**

Ángulo Obtuso > **90°**
mayor a

Para más información sobre medidas
de ángulos, vea las páginas 126-127.

¿Qué tienen en común estas figuras?

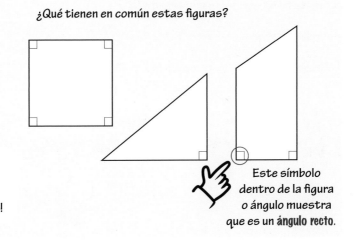

¡Cada una
tiene por
lo menos 1
ángulo recto!

Este símbolo
dentro de la figura
o ángulo muestra
que es un **ángulo recto**.

Medidas de Ángulos ....

Un **ángulo** se forma cuando dos semirrectas o segmentos de recta se unen en un punto común, a veces llamado **vértice**. Un ángulo se mide en referencia a un círculo con su centro en el punto extremo común de las semirrectas. La medida del ángulo dice qué lejos una semirrecta del ángulo está girada de la otra semirrecta. Se mide en **grados**. Un giro completo es 360°.

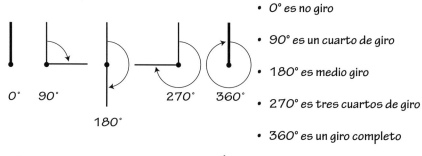

- *0° es no giro*

- *90° es un cuarto de giro*

- *180° es medio giro*

- *270° es tres cuartos de giro*

- *360° es un giro completo*

- **Ángulos agudos** ——→ *menor a 90°*

- **Ángulos rectos** ——→ *exactamente 90°*

- **Ángulos obtusos** ——→ *entre 90° y 180°*

- **Ángulos llanos** ——→ *exactamente 180°* ←——•——→

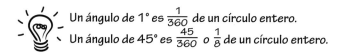

Un ángulo de 1° es $\frac{1}{360}$ de un círculo entero.
Un ángulo de 45° es $\frac{45}{360}$ o $\frac{1}{8}$ de un círculo entero.

Medición de Ángulos ....

Los ángulos desconocidos pueden medirse o determinarse mirando cuidadosamente la medida de los ángulos conocidos.

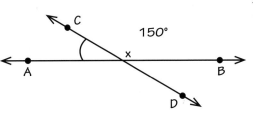

$\overset{\longleftrightarrow}{AB}$ es una línea recta, por lo tanto $\angle AXB$ es 180°.

Puedo calcular la medida de $\angle AXC$ al restar 150° de 180°.

 Vea las páginas 125-127 para más información sobre ángulos.

$\angle AXC + \angle CXB = 180°$
$\angle AXC + 150° = 180°$
$\angle AXC = 30°$

Los ángulos pueden medirse usando un **transportador**. La figura de abajo muestra un transportador midiendo un ángulo de 45°.

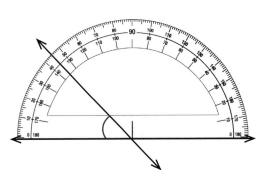

El transportador se coloca de manera que un lado del ángulo yace en la línea correspondiente a 0°.

La medida del ángulo se lee notando el lugar donde el otro lado del ángulo pasa a través del transportador.

 Se muestran dos números en el transportador en incrementos de 10°, por lo tanto los estudiantes deben usar sus conocimientos de ángulos agudos y obtusos, y las marcas de los ángulos para seleccionar la medida correcta.

Polígonos ....

Un **polígono** es una figura cerrada formada por segmentos de recta.

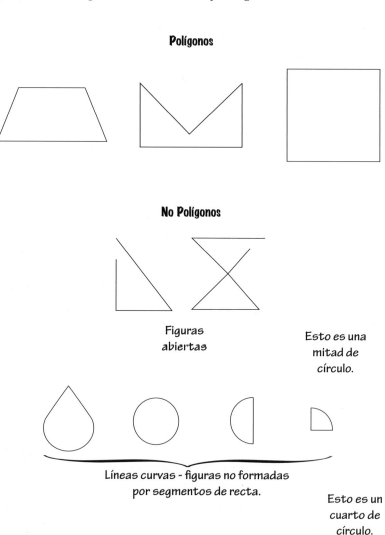

Polígonos

No Polígonos

Figuras
abiertas

Esto es una
mitad de
círculo.

Líneas curvas - figuras no formadas
por segmentos de recta.

Esto es un
cuarto de
círculo.

Figuras 2-D ....

Las figuras pueden clasificarse como bidimensionales (**2-D**) o tridimensionales (**3-D**). Las figuras 2-D tienen largo y ancho; son consideradas "planas."

Nombre	Ejemplos	Descripción
Triángulo		3 lados, 3 ángulos
Cuadrilátero (4 lados, 4 ángulos)	Cuadrado	4 lados congruentes, 4 ángulos iguales
	Rectángulo	lados opuestos son paralelos, 4 lados iguales
	Trapezoide	por lo menos 1 par de lados paralelos
	Paralelogramo	2 pares de lados paralelos
	Rombo	paralelogramo con 4 lados iguales
	Cometa	2 pares de lados adyacentes y congruentes
Pentágono		5 lados, 5 ángulos
Hexágono		6 lados, 6 ángulos
Octágono		8 lados, 8 ángulos
Decágono		10 lados, 10 ángulos

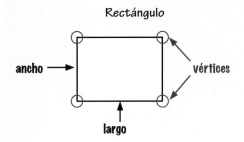

Rectángulo

ancho

vértices

largo

Además del largo y el ancho, la mayoría de las figuras 2-D tienen vértices también conocidos como ángulos o "esquinas".

Clasificación de Triángulos ....

Los triángulos pueden clasificarse por sus lados o sus **ángulos**.

Clasificación por sus Lados

 Un triángulo equilátero tiene 3 lados iguales.

 Un **triángulo isósceles** tiene 2 lados iguales.

Un **triángulo escaleno** no tiene lados iguales.

Clasificación por sus Ángulos

 Un triángulo agudo tiene 3 ángulos menores a 90°.

 Un **triángulo obtuso** tiene 1 ángulo mayor a 90°.

 Un **triángulo rectángulo** tiene 1 ángulo de 90°.

Clasificación de Cuadriláteros ....

A veces las figuras pueden entrar en más de una categoría.

Esta figura es un cuadrado. Tiene cuatro lados iguales y cuatro ángulos de 90°. Esta figura es un rectángulo especial. Tiene lados opuestos que son paralelos y cuatro ángulos de 90°.

Esta figura es un rectángulo. Tiene lados opuestos que son paralelos y cuatro ángulos de 90°.

 Todos los cuadrados son rectángulos, pero no todos los rectángulos son cuadrados.

 Todos los rectángulos son paralelogramos, pero no todos los paralelogramos son rectángulos.

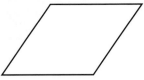

Esta figura es un rombo. Tiene cuatro lados rectos iguales. Esta figura es un paralelogramo especial. Tiene lados opuestos que son paralelos y ángulos opuestos que son iguales.

Esta figura es un paralelogramo. Tiene lados opuestos que son paralelos y ángulos opuestos que son iguales.

 Todos los cuadrados son rombos, pero no todos los rombos son cuadrados.

 Todos los rombos son paralelogramos, pero no todos los paralelogramos son rombos.

Clasificación de Cuadriláteros (continúa)......

Los cuadriláteros también pueden clasificarse usando un diagrama de Venn para mostrar relaciones.

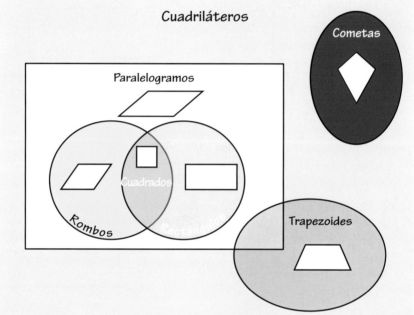

Los trapezoides tienen dos definiciones válidas que difieren ligeramente. Algunos definen un trapezoide como una figura de cuatro lados que tiene **solo un** par de lados paralelos, lo que significa que no sería un paralelogramo. Otros definen un trapezoide como que tiene **por lo menos un par** de lados paralelos, lo que significa que podría ser un paralelogramo.

Trapezoide (no paralelogramo)

Trapezoide (paralelogramo)

Solo un par de lados paralelos.

Por lo menos un par de lados paralelos.

Figuras 3-D ....

Las figuras tridimensionales tienen **largo, ancho** y **profundidad**. No son planas pero en su lugar tienen volumen.

- La **cara** de un cuerpo geométrico (prisma) es una superficie plana. Un prisma tiene dos caras llamadas **bases**. Las bases son paralelas y de la misma forma y tamaño (congruentes). Por lo general, las bases están en la parte superior e inferior del prisma.

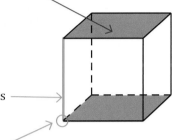

- Una **arista** es una línea donde se juntan dos caras.

- Un **vértice** es un punto donde dos o más líneas, esquinas o aristas se juntan.

- Una **red** es cuando se corta la superficie de un cuerpo geométrico a lo largo de una o más aristas y y se desdobla en una figura plana.

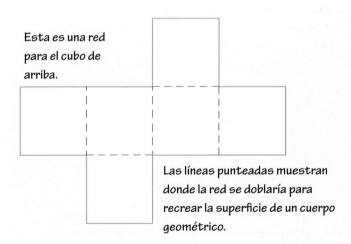

Esta es una red para el cubo de arriba.

Las líneas punteadas muestran donde la red se doblaría para recrear la superficie de un cuerpo geométrico.

Figuras 3-D (continúa)..................................

Cuerpo Geométrico		Caras	Aristas	Vértices	Redes (una de varias)
Cubo		6	12	8	
Prisma Rectangular		6	12	8	
Cono Rectangular Circular		2	1	1	
Cilindro Rectangular Circular		3	2	2	
Pirámide Rectangulares		5	8	5	

 Esta tabla muestra solo una de las varias maneras diferentes de hacer una red para cada uno de los cuerpos geométricos.

Figuras Compuestas ....

Una figura compuesta es una figura formada por dos o más figuras. Una figura compuesta puede ser bidimensional o tridimensional.

Figuras Compuestas de 2-D

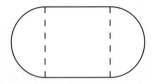

Esta figura se formó combinando un cuadrado con dos medios círculos.

Esta figura se formó combinando un triángulo con un rectángulo.

Esta figura se formó combinando cuatro de las figuras de arriba.

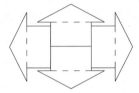

Figuras compuestas de 3-D

Esta figura se formó combinando un cilindro rectangular circular con un cono rectangular circular.

Esta figura se formó combinando dos cubos con un prisma rectangular.

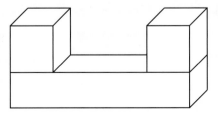

Medición

La medición es importante en matemáticas y en la vida. Debido a su utilidad, la enseñanza de medición comienza en los grados primarios mientras los niños miden largos y continúa en la escuela media donde se les enseña a medir el volumen.

La medición es un tema que conecta la geometría y los números juntos, y ayuda a que ambos temas tengan más sentido para los niños.

Medición: Longitud / Largo ....

La **longitud o largo** de un objeto se mide al colocar varias copias de un objeto más corto de un extremo a otro, sin brechas ni superposición. Las mediciones pueden ser exactas o pueden ser estimaciones que son lo "suficientemente cerca".

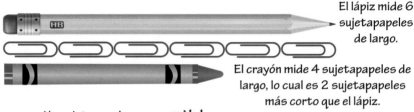

El lápiz mide 6 sujetapapeles de largo.

El crayón mide 4 sujetapapeles de largo, lo cual es 2 sujetapapeles más corto que el lápiz.

Un sujetapapeles es una **unidad de medición no estándar**, mientras que una pulgada es una **unidad de medición estándar**.

La manzana mide alrededor 4 $\frac{1}{2}$ pulgadas de alto.

La cuchara es el utensilio más corto. El cuchillo es más largo que el tenedor y la cuchara.

La manzana en alrededor de 11 centímetros de alto.

Medición de la Longitud: Cuentos Matemáticos ....

Jane se preguntó cuánto más alto era el marco de su foto familiar que su libro favorito.

El libro mide 11 pulgadas de alto.   El marco de fotos mide 16 pulgadas de alto.

16 - 11 = 5

El marco de fotos de Jane es 5 pulgadas más alto que su libro.

Tilly midió su planta de frijoles antes de salir de la escuela para sus vacaciones. Mide 2 pulgadas de alto. Cuando ella volvió de sus vacaciones, midió la planta nuevamente. ¡Ahora mide 18 pulgadas de alto! ¿Cuánto creció la planta de Tilly durante las vacaciones?

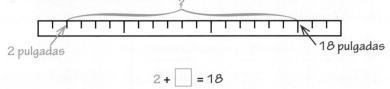

2 pulgadas   18 pulgadas

2 + ☐ = 18

Como 2 + 16 = 18 or 18 - 2 = 16, ¡La planta de Tilly creció 16 pulgadas durante las vacaciones!

William mide 51 pulgadas de alto. Su hermanita Sydney mide 22 pulgadas de alto. ¿Cuánto más alto es William que Sydney?

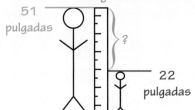

51 pulgadas

?

22 pulgadas

51 - 22 = ☐
51 - 22 = 29

William es 29 pulgadas más alto que Sydney.

Medición de la Longitud: Estándar de EE.UU. ....

La tabla de abajo identifica cómo se mide la **longitud** según el Estándar de EE.UU./Sistema Usual.

Unidad	Equivalente	Punto de Referencia
pulgada (pulg)		ancho de una moneda de veinticinco centavos
pie	12 pulgadas	largo de un cuaderno de 3 anillos
yarda (yd)	3 pies	de la nariz a la punta de los dedos con el brazo estirado
milla (mi)	5,280 pies	distancia de 20 minutos caminando

Longitud / Largo (etiqueta lateral izquierda)

Longitud / Largo

Fiona está cortando tiras de listón de 18 pulgadas. ¿Cuántos pies de largo es cada tira de listón?

Como 1 pie = 12 pulgadas

$$18 \div 12 = 1\tfrac{1}{2} \text{ pies}$$

o

$$\frac{12 \text{ pulg}}{1 \text{ pie}} = \frac{18 \text{ pulg}}{x}$$

 La longitud puede medirse usando una regla, vara de yarda o cinta de medición.

Medición del Peso: Estándar de EE.UU. ....

La tabla de abajo identifica cómo se mide el **peso** según el Estándar de EE.UU./Sistema Usual.

Unidad	Equivalente	Punto de Referencia
onza (oz)		rebanada de pan
libra (lb)	16 onzas	2 manzanas grandes
tonelada (t)	2,000 libras	auto pequeño

Peso (etiqueta lateral izquierda)

Peso

El nuevo cachorrito de John pesa 4 libras. ¿Cuántas onzas pesa su cachorrito?

Como 1 libra = 16 onzas

$$4 \times 16 = 64 \text{ oz}$$

o

$$\frac{1 \text{ lb}}{16 \text{ oz}} = \frac{4 \text{ lb}}{x}$$

 El peso puede medirse usando una balanza.

Medición del Volumen Líquido: Estándar de EE.UU. ....

La tabla de abajo identifica cómo se mide el **volumen líquido** según el Estándar de EE.UU./Sistema Usual.

	Unidad	Equivalente	Punto de Referencia
Volumen Líquido	onza líquida (fl oz)		
	taza	8 onzas líquidas	recipiente de leche en la escuela
	pinta (pt)	2 tazas	
	cuarto	2 pintas	
	galón (gal)	4 cuartos	bidón de leche

Volumen Líquido

Molly está preparando chocolate caliente usando una receta que requiere 1 pinta de leche. ¿Cuántas tandas puede hacer usando 1 galón de leche?

Molly puede preparar 8 tandas de chocolate caliente.

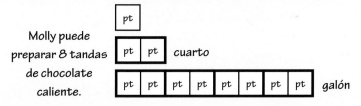

Medición de Longitud, Peso y Volumen Líquido: Sistema Métrico ....

Las unidades métricas básicas son el **metro** (para longitud), **gramo** (para peso) y **litro** (para volumen líquido). Las **unidades** métricas son amigables para trabajar ya que todas se basan en múltiplos de diez.

	mayor						menor	
kilo-	**hecto-**	**deca-**	**unidad**	**deci-**	**centi-**	**mili-**
1,000×	100×	10×	1×	$\frac{1}{10}$ ×	$\frac{1}{100}$ ×	$\frac{1}{1,000}$ ×

Un decagramo es 10 veces más pequeño que un hectogramo y 100 veces más pequeño que un kilogramo.

A pesar de ser más pequeño que un metro, un centímetro es 10 veces más grande que un milímetro.

 Para convertir una unidad menor a una unidad mayor de medición, **divida** por el múltiplo de diez relevante.

4,000 mililitros = ____ litros

$$\frac{4,000}{1,000} = 4 \, L$$

675 centímetros = ____ metros

$$\frac{675}{100} = 6.75 \, m$$

 Para convertir una unidad mayor a una unidad menor de medición, **multiplique** por el múltiplo de diez relevante.

8 centímetros = ____ milímetros

$$8 \times 10 = 80 \, mm$$

38.2 kilómetros = ____ metros

$$38.2 \times 1,000 = 38,200 \, m$$

Decir la Hora ....

El tiempo se mide en **horas**, **minutos** y **segundos** en relojes análogos y digitales.

Relojes Análogos

Los relojes análogos tienen dos o tres manecillas. La manecilla de la hora es la más corta, la manecilla de los minutos es más larga, y la manecilla de los segundos es larga y delgada. Estas manecillas se mueven todas a la derecha empezando en el 12.

Hora Exacta	Entre Horas	Minuto Exacto
Se muestra cuando la manecilla de los minutos apunta directamente hacia el 12 y la manecilla de las horas apunta directamente a cualquier número del reloj	A menos que la manecilla del reloj esté en el 12, la hora es siempre el número a la izquierda del 12 de la mancilla de las horas.	Hay 5 minutos entre cada número en la cara del reloj, de manera que cada marca de hora representa 5 minutos más.

Once en punto	Nueve y veinte	Seis y nueve

Los minutos también pueden leerse como fracciones de una hora:

7 y cuarto   10 y media   8 menos cuarto

Relojes Digitales

En un reloj digital, la hora es siempre el número a la izquierda de los dos puntos.

11:32 PM	Once y treinta y dos a la noche

- Desde la medianoche hasta antes del mediodía, la hora es a.m.
- Desde el mediodía hasta antes de la medianoche, la hora es p.m.

Tiempo Transcurrido..

El tiempo que pasa entre la hora de comienzo y la hora de finalización se llama **tiempo transcurrido**. Para hallar el tiempo transcurrido, cuente desde la hora de comienzo hasta la hora de finalización.

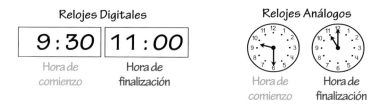

Relojes Digitales

| 9:30 | 11:00 |

Hora de comienzo · Hora de finalización

Relojes Análogos

Hora de comienzo · Hora de finalización

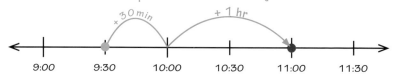

Tiempo transcurrido es 1 hr y 30 min

Will fue a ver una película que empezaba a las 11:30 a.m. y duraba dos horas, 15 minutos. ¿A qué hora terminó la película?

	Tiempo Transcurrido
11:30	(comienza la película)
11:30 - 12:00	$\frac{1}{2}$ hora
12:00 - 1:00	1 hora
1:00 - 1:30	$\frac{1}{2}$ hora
1:30 - 1:45	15 minutos

2 horas

¡El reloj comenzará su conteo nuevamente cuando llegue al mediodía!

La película terminó a la 1:45 p.m.

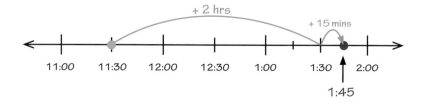

Dinero ....

El Sistema Monetario de EE.UU. se basa convenientemente en diez, permitiéndonos escribir cantidades monetarias usando la **notación decimal**.

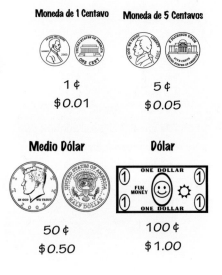

Moneda de 1 Centavo	Moneda de 5 Centavos	Moneda de 10 Centavos	Moneda de 25 Centavos
1 ¢	5 ¢	10 ¢	25 ¢
$0.01	$0.05	$0.10	$0.25

Medio Dólar   **Dólar**

50 ¢   100 ¢
$0.50 $1.00

Si usted tiene 2 monedas de 10 centavos y 3 monedas de 1 centavo, ¿cuántos centavos tiene?

1¢ + 1¢ + 1¢
= 3¢

10¢ + 10¢ =
20¢

3¢ + 20¢ = 23¢ or $0.23

El Sr. Juárez vació sus bolsillos y encontró:

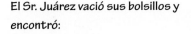

¿Cuánto dinero encontró el Sr. Juárez?

Cuente todos los billetes primero, empezando por el mayor, y luego sume los demás.

$10........$15..........$16.......$17

Luego, cuente las monedas, comenzado con la mayor y sumando las demás.

$17.25...$17.50...$17.60...$17.65...$17.70...$17.71...$17.72...$17.73

El Sr. Juárez encontró $17.73.

Perímetro y Área...

Para hallar el **perímetro** de cualquier figura, simplemente sume los largos de todos los lados (aún lados que no muestran la medida). Hay diferentes fórmulas para hallar el **área** para figuras diferentes.

Fórmulas para rectángulos

Perímetro = 2 (ℓ + w) ℓ = largo

Área = $\ell \times w$ w = ancho

Perímetro

El **perímetro** es la distancia alrededor de un polígono.

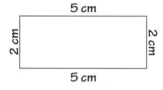

5 cm

2 cm   2 cm

5 cm

P = 5 cm + 2 cm + 5 cm + 2 cm
P = 14 cm

Para cercar un jardín, necesita calcular el **perímetro**.

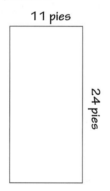

11 pies

24 pies

P = 11 pies + 24 pies + 11 pies + 24 pies
P = 70 pies

Área

El área de una figura es el número de unidades cuadradas dentro de la figura sin brechas ni superposición.

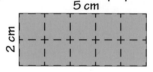

5 cm

2 cm

A = 2 cm x 5 cm
A = 10 cm^2 (centímetros cuadrados)

Para cubrir un piso con alfombra o baldosas, necesita calcular el área.

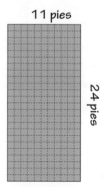

11 pies

24 pies

A = 11 pies x 24 pies
P = 264 pies^2 (pies cuadrados)

Perímetro y Área de Rectángulos con Largos de Lados Fraccionarios..................

Para hallar el **perímetro** y **área** de rectángulos sin largos de lados que no son números enteros, puede seguir el mismo procedimiento que seguiría para números enteros.

Perímetro

El **perímetro** es la distancia alrededor del polígono.

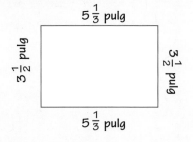

$P = 2 (\ell) + 2 (w)$

$P = 2 (3\frac{1}{2}) + 2 (5\frac{1}{3})$

$P = 7 + 10\frac{2}{3}$

$P = 17\frac{2}{3}$ pulgadas

Area

El **área** de una figura es el número de unidades cuadradas dentro de la figura sin brechas ni superposición.

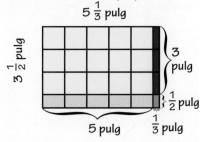

$A = \ell \times w$

$A = 5\frac{1}{3} \times 3\frac{1}{2}$

¡Usaré la estrategia de descomposición de la pág. 91!

$(5 + \frac{1}{3}) \times (3 + \frac{1}{2})$

$A = (5 \times 3) + (5 \times \frac{1}{2}) + (3 \times \frac{1}{3}) + (\frac{1}{2} \times \frac{1}{3})$

$A = 15 + 2\frac{1}{2} + 1 + \frac{1}{6}$

$A = 18\frac{4}{6}$ pulg^2 (pulgadas cuadradas)

Área de un Paralelogramo.............................

Si corta un paralelogramo, puede volver a arreglar las piezas para hacer un rectángulo. De esta manera puede usar lo que sabe sobre hallar el **área** de un rectángulo para hallar el **área** de un paralelogramo.

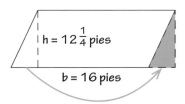

$$h = 12\tfrac{1}{4} \text{ pies}$$
$$b = 16 \text{ pies}$$

Como el área de un rectángulo es largo por ancho (o base por altura), el área de este paralelogramo es también base por altura.

$$A = b \times h \qquad\qquad b = base$$
$$= 16 \times 12\tfrac{1}{4} \qquad h = altura$$
$$= 196 \text{ pies}^2$$

Área de un Triángulo ....

Cada triángulo es la mitad de un rectángulo. Como el **área** de un rectángulo es largo por ancho (o base por altura), el **área** del triángulo es la mitad de ese producto.

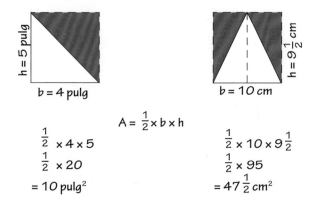

$h = 5$ pulg

$b = 4$ pulg

$h = 9\tfrac{1}{2}$ cm

$b = 10$ cm

$$A = \tfrac{1}{2} \times b \times h$$

$$\tfrac{1}{2} \times 4 \times 5$$
$$\tfrac{1}{2} \times 20$$
$$= 10 \text{ pulg}^2$$

$$\tfrac{1}{2} \times 10 \times 9\tfrac{1}{2}$$
$$\tfrac{1}{2} \times 95$$
$$= 47\tfrac{1}{2} \text{ cm}^2$$

Resolución de Problemas de Área ....

Si sabe que el **área** de un paralelogramo es bh (base por altura o largo por ancho) y que el **área** de un triángulo es $\frac{1}{2} bh$ ($\frac{1}{2}$ de la base de un triángulo por la altura), puede usar esta información para resolver otros problemas.

¿Cuál es el área de las figuras de abajo?

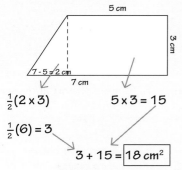

5 cm

3 cm

7 - 5 = 2 cm

7 cm

$\frac{1}{2}(2 \times 3)$

$5 \times 3 = 15$

$\frac{1}{2}(6) = 3$

$3 + 15 = \boxed{18 \ cm^2}$

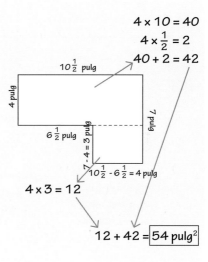

$4 \times 10 = 40$

$4 \times \frac{1}{2} = 2$

$40 + 2 = 42$

$10\frac{1}{2}$ pulg

4 pulg

$6\frac{1}{2}$ pulg

7 pulg

7 - 4 = 3 pulg

$10\frac{1}{2} - 6\frac{1}{2} = 4$ pulg

$4 \times 3 = 12$

$12 + 42 = \boxed{54 \ pulg^2}$

Ambos son ejemplos de figuras compuestas; están formadas por más de una figura.

Volumen ....

El **volumen** es la cantidad de espacio dentro de una figura tridimensional (**3-D**) El volumen se mide en unidades cúbicas (u^3), lo que indica cuántos cubos entrarían en el prisma, como bloques en una caja sin brechas no superposición.

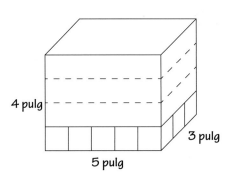

= 1 unidad cúbica = 1 u^3

4 pulg

3 pulg

5 pulg

Volumen = Número de unidades cúbicas × para llenar el fondo.

Número de capas.

Necesitaría 15 bloques de una pulgada cúbica para llenar la capa del fondo de este prisma.
5 pulg x 3 pulg x 1 pulg = 15 $pulg^3$
Llevaría 4 de estas capas para llenar todo el prisma.
15 $pulg^3$ x 4 capas = 60 $pulg^3$

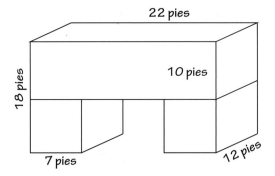

22 pies

10 pies

18 pies

7 pies

12 pies

Esta figura está compuesta de 3 prismas rectangulares. El prisma más grande (parte superior) mide 22 pies x 10 pies x 12 pies, y contiene 2640 pies cúbicos. Los dos prismas más pequeños miden 7 pies x 8 pies x 12 pies y cada uno contiene 672 pies cúbicos.

En total, el volumen de la figura es 2,640 $pies^3$ + 672 $pies^3$ + 672 $pies^3$ or 3,984 $pies^3$.

Volumen (continúa)..

$$V = \ell \times w \times h$$
largo × ancho × alto

o

$$V = B \times h$$
Área de base × alto

Dos cajas de cereal cuestan la misma cantidad. Queriendo recibir más por su dinero, Sofía desea saber qué caja contiene más cereal.

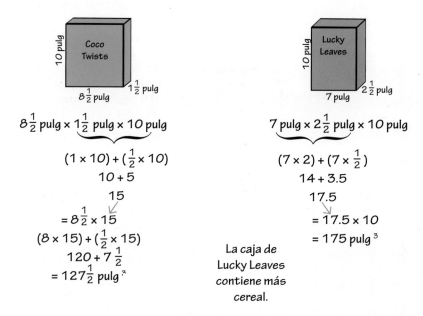

$8\frac{1}{2}$ pulg × $1\frac{1}{2}$ pulg × 10 pulg

$(1 \times 10) + (\frac{1}{2} \times 10)$

$10 + 5$

15

$= 8\frac{1}{2} \times 15$

$(8 \times 15) + (\frac{1}{2} \times 15)$

$120 + 7\frac{1}{2}$

$= 127\frac{1}{2}$ pulg^3

7 pulg × $2\frac{1}{2}$ pulg × 10 pulg

$(7 \times 2) + (7 \times \frac{1}{2})$

$14 + 3.5$

17.5

$= 17.5 \times 10$

$= 175$ pulg^3

La caja de Lucky Leaves contiene más cereal.

Datos

El trabajo que los estudiantes hacen con los datos en los grados primarios los prepara para el trabajo que harán con estadísticas en la escuela media. Esto también les da una manera de la vida real de usar las matemáticas que están aprendiendo ya que vemos datos en las gráficas casi diariamente.

Datos...

Hay dos tipos diferentes de **datos**, datos de medición y datos categóricos.

Los datos de medición provienen de tomar mediciones.

¿Cuántas pulgadas mides de alto?

Mido _____ de alto.

¿Cuántos minutos te lleva viajar a la escuela?

Me lleva _____ minutos.

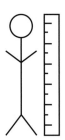

Los datos categóricos provienen de agrupar objetos en categorías.

¿Qué mascota prefieres, gatos o perros?

Prefiero _____.

Materia favorita de los estudiantes

Matemáticas   𝍷𝍷𝍷𝍷 𝍷𝍷𝍷𝍷 𝍷

Lectura   𝍷𝍷𝍷𝍷 𝍷𝍷𝍷

Ciencias   𝍷𝍷𝍷𝍷 𝍷

¿A cuántos estudiantes les gustan matemáticas, lectura o ciencias?

25 estudiantes

¿A cuántos estudiantes les gusta la lectura?

8 estudiantes

Puedo contar las marcas para hallar las respuestas.

A 11 les gustaron las matemáticas y a 6 les gustaron las ciencias.

¿Cuántos estudiantes prefieren matemáticas sobre ciencias?

5 estudiantes

Pictogramas ....

Los **pictogramas** (también llamados gráficas de dibujos) usan dibujos o símbolos para mostrar datos de una manera vistosa. Los dibujos pueden usarse para representar cualquiera cantidad.

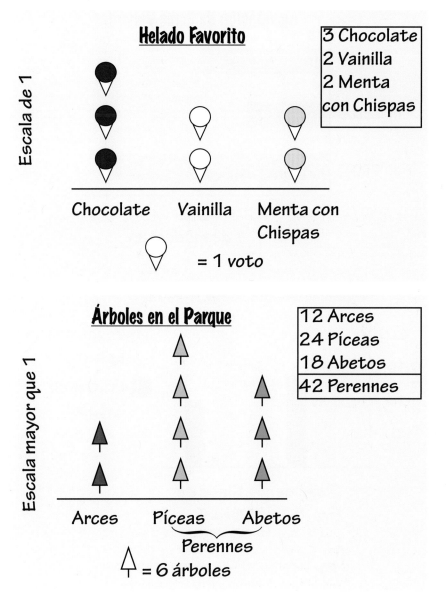

Escala de 1

Helado Favorito

3 Chocolate
2 Vainilla
2 Menta
con Chispas

Chocolate   Vainilla   Menta con Chispas

= 1 voto

Escala mayor que 1

Árboles en el Parque

12 Arces
24 Píceas
18 Abetos
42 Perennes

Arces   Píceas   Abetos

Perennes

= 6 árboles

Gráficas de Barras ....

Las **gráficas de barras** se usan para mostrar datos que pueden contarse o medirse fácilmente.

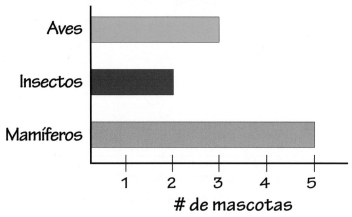

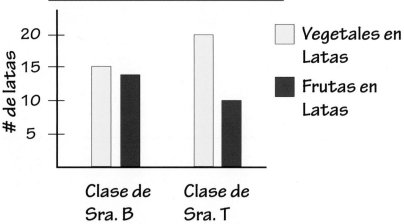

 Las gráficas de barras no se tocan porque representan categorías diferentes.

Diagramas de Puntos ·······································

Las **diagramas de puntos** se usan para ayudar al observador a identificar rápidamente el **rango** (diferencias entre el valor mayor y el menor) y la **moda** (el valor que ocurre con más frecuencia) de los datos. Cada punto representa exactamente uno de los artículos a medir.

Puntajes del Concurso de Ortografía

Veo que de los 15 estudiantes que hicieron el examen, todos obtuvieron entre 6 y 10 palabras correctas.

Palabras Correctas de 10

Medidas de Brotes del Bambú de los Estudiantes

Veo que 4 brotes de bambú tienen $14\frac{1}{2}$ pulgadas de alto y que más brotes de bambú midieron esta altura que cualquier otra.

Altura de Bambú en Pulgadas

Note que aunque la recta numérica comienza en cero, el valor de datos menor es $13\frac{1}{2}$. No necesita incluir todos los números entre el cero y el valor menor de datos, la doble barra significa esto.

Histogramas ....

Un **histograma** es un tipo especial de gráfica de barras que muestra cómo los datos caen en rangos o intervalos iguales que son mostrados en una recta numérica.

Número de Semanas en Ranking de Canciones Top-200 (al 8 de Marzo)	
Número de Semanas	**Frecuencia**
1-20	16
21-40	6
41-60	1
61-80	2

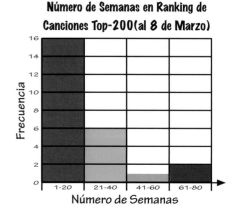

Número de Semanas en Ranking de Canciones Top-200(al 8 de Marzo)

Note en la tabla y gráfica de arriba que los intervalos (número de semanas) son iguales y que en la gráfica no hay espacio entre las barras.

Listado y Conteo Sistemáticos ....

Cuando se combinan diferentes tipos de objetos, es necesario a veces calcular cuántas combinaciones diferentes pueden crearse. El número de combinaciones posibles puede hallarse usando listas organizadas o la multiplicación.

¿De cuántas maneras pueden combinarse estos artículos de ropa mostrados abajo usando exactamente el mismo tipo de camisa, un tipo de pantalones y un tipo de zapatos?

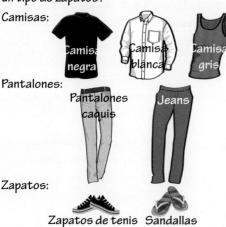

Camisas: Camisa negra Camisa blanca Camisa gris

Pantalones: Pantalones caquis Jeans

Zapatos: Zapatos de tenis Sandallas

Puedo hacer una lista, tabla o hasta un diagrama de árbol y luego contar todas las combinaciones posibles.

¡Hay 12 conjuntos posibles!

	1	2	3	4	5	6	7	8	9	10	11	12
Camisa negra	X	X	X	X								
Camisa blanca					X	X	X	X				
Camisa gris									X	X	X	X
Pantalones caquis	X	X			X	X			X	X		
Jeans			X	X			X	X			X	X
Zapatos de tenis	X		X		X		X		X		X	
Sandalias		X		X		X		X		X		X

 Cuando hay 2 o más opciones para hacer, también puede hallar el número de combinaciones posibles simplemente multiplicando el número de opciones por cada selección.

3 camisas × 2 pantalones × 2 zapatos = 3 × 2 × 2 = 12 conjuntos posibles

Variabilidad Estadística ....

Variabilidad se refiere a qué "separadas" están las medidas en un grupo. Para ser una **pregunta de estadística**, uno esperaría que las respuestas estén "separadas" o mostrar variabilidad en las respuestas.

Por ejemplo: La pregunta "¿Cuántos años tiene?" tiene una sola respuesta numérica. Cuando se pregunta a todos los niños en la escuela la pregunta "¿Cuántos años tienes?," se convierte en una **pregunta de estadística**. La segunda pregunta tiene muchas respuestas numéricas. Tiene diversidad o **variabilidad** porque es posible tener una variedad de respuestas.

Un grupo de datos recolectado para responder una pregunta de estadística tiene una **distribución** que puede describirse por su **centro, separación,** y **forma general.**

El **centro** puede describirse por un solo número que resume todo los valores en el grupo de datos.

La **separación** o **variabilidad** puede describirse por un solo número que muestra cómo varían los valores en el grupo de datos.

La media, mediana y moda son medidas de centro comunes.

El rango, rango intercuartílico y la desviación media absoluta son todas medidas de variación.

La **forma general** puede usarse para describir el grupo de datos después de mostrarse gráficamente.

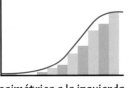

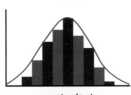

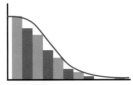

asimétrica a la izquierda

no asimétrica
(normal)

asimétrica a la derecha

Medidas de centro / ¿Qué es típico? ....

Para analizar datos, puede ver qué es típico o **promedio** dentro de los datos.

Datos:

17, 20, 15, 17, 16

- La **media** es el promedio de sus datos.
  Puede hallarla sumando todos los valores
  y luego dividiendo entre el número de
  valores. Valores extremos afectan la media
  por lo tanto podría no ser la mejor medida
  de centro para usar en una distribución
  asimétrica.

Media

17
20
15
17
+16
85

17
5/85

- La mediana es otra medida de centro.
  La halla colocando los datos en orden
  de menor a mayor y luego hallando el
  número del medio. Cuando no hay un
  número exactamente en el medio, suma
  los dos números del medio y luego divide
  entre 2. El resultado será la mediana. La
  mediana es probablemente la mejor media
  de centro para usar en una distribución
  asimétrica.

Mediana

15, 16, 17, 17, 20

Mediana (dos números del medio)

15, 16, 17, 18, 19, 23

$$\frac{17 + 18}{2} = \frac{35}{2} = 17\frac{1}{2}$$

- La moda es el valor que ocurre con más
  frecuencia. Puede haber una moda, más
  de una moda o ninguna moda. La moda
  probablemente no está afectada por
  valores extremos ya que es improbable que
  valores extremos sean los más comunes.

Moda

15, 16, 17, 17, 20

Medidas de Variación / La Separación de Datos ....

Las **medidas de variación** son importantes. Permiten la confiabilidad de las medidas de centro a ser evaluadas. Para describir un grupo de datos adecuadamente, debe describirse su variabilidad, si no hay un potencial de decepción de datos. Las medidas de variación también ayudan a guiar cómo debería verse una gráfica de datos.

- El **rango** es la diferencia entre el número mayor y el menor en los datos.

Rango

$$20$$
$$\underline{-\,15}$$
$$\enclose{circle}{5}$$

- El **rango intercuartílico** es el rango del 50% de la mitad de los valores en un grupo de datos. Se usa a menudo para construir una gráfica de frecuencias acumuladas para mostrar datos (ver página 164).

- La **desviación de media absoluta** es la distancia promedio entre cada valor de dato y la media del grupo de datos (ver página 165).

Gráficas de Frecuencias Acumuladas (definiciones)

Las **gráficas de frecuencias acumuladas** se usan para mostrar cómo se distribuyen los datos a lo largo de una recta numérica.

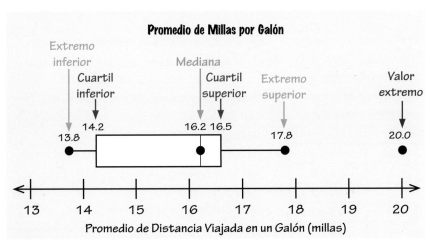

Promedio de Millas por Galón

Promedio de Distancia Viajada en un Galón (millas)

- **Extremo inferior-** El dato más bajo (menor).

- **Cuartil inferior** - La mediana de la mitad inferior de un grupo de datos ordenados.

- **Mediana** - El número del medio de un grupo de números ordenados de menor a mayor (ver página 160 para más información).

- **Cuartil superior** - La mediana de la mitad superior de un grupo de datos ordenados.

- **Extremo superior-** El dato más alto (mayor).

- **Valor extremo** - Cualquier dato que es mucho más pequeño o más grande que la mayoría de los otros números en un grupo de datos. <u>Para hallar valores extremos:</u>

  ① Reste el cuartil inferior del cuartil superior para hallar el largo de la gráfica (16.5 - 14.2 = 2.3).

  ② Multiplique el largo de la gráfica por 1.5 (2.3 × 1.5 = 3.45).

  ③ Sume la respuesta del paso ② al cuartil superior (16.5 + 3.45 = 19.95).

  ④ Reste la respuesta del paso ② del cuartil inferior (14.2 - 3.45 = 10.75).

  ⑤ Los valores extremos serán cualquier valor mayor a la respuesta del paso ③ (19.95) o menor a la respuesta del paso ④ (10.75).

Gráficas de frecuencias acumuladas (ejemplo)...

Una **gráfica de frecuencias acumuladas** muestra la **mediana, cuartiles** y **valores extremos** en un grupo de datos, pero no muestra valores específicos. Muestra cómo los valores del medio se separan y si cualquier dato está muy lejos del medio.

El cine local registró sus ganancias por entradas vendidas durante siete días. Estos datos se muestran en la tabla de abajo:

Día	Ganancias
1	$400
2	$450
3	$500
4	$625
5	$650
6	$580
7	$600

Creación de una gráfica de frecuencias acumuladas

1. Escriba los datos en orden de menor a mayor:
   400, 450, 500, 580, 600, 625, 650
2. Dibuje una recta numérica adecuada a los datos con intervalos iguales (mostrada abajo).
3. Marque la mediana - 580.
4. Mire la mitad superior y marque la mediana de la mitad superior (cuartil superior) - 625.
5. Mire la mitad inferior y marque la mediana de la mitad inferior (cuartil inferior) - 450.
6. Marque los extremos inferior y superior (números más pequeño y más grande) - 650, 400.
7. Dibuje una caja entre el cuartil suprior y el cuartil inferior. Divida la caja dibujando una línea a través de la mediana. Dibuje dos líneas de los cuartiles a los extremos.

Ventas de entradas del cine local

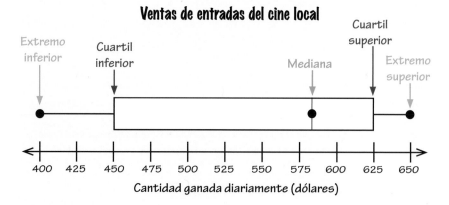

El largo de la caja se llama **rango intercuartílico**. Es la diferencia entre el cuartil inferior (percentil 25°) y el cuartil superior (percentil 75°).

Desviación de Media Absoluta ....

La **desviación de media absoluta** es la distancia promedio entre cada valor de dato y la media de un grupo de datos. Es una manera de averiguar qué consistente es un grupo de datos.

Cómo determinar la desviación de media absoluta:

Puntajes de William

80, 100, 94, 88, 90, 94

① Halle la media (promedio): sume todos los números y divida entre el número de valores.

① Media de los puntajes de William: $\dfrac{80 + 100 + 94 + 88 + 90 + 94}{6} = 91$

②

Valor de Dato	Media		Diferencia
80	- 91	=	-11
100	- 91	=	9
94	- 91	=	3
88	- 91	=	-3
90	- 91	=	-1
94	- 91	=	3

② Reste la media de cada valor de dato.

③ Tome el valor absoluto de cada diferencia (de manera que sean todos positivos).

③

Diferencia	-11	9	3	-3	-1	3
Valor Absoluto	11	9	3	3	1	3

④ Halle la media de los valores absolutos.

④ Valores de media absoluta (desviación de media absoluta): $\dfrac{11 + 9 + 3 + 3 + 1 + 3}{6} = \dfrac{30}{6} = 5$

La **desviación de media absoluta** de los puntajes de William es 5. Esto nos dice que los datos de Will son bastantes consistentes.

Una **desviación de media absoluta** de 5 significa que, en promedio, la separación de los puntajes de Will está 5 espacios lejos de la media en cualquier dirección.

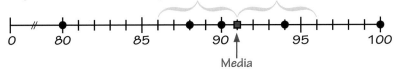

Media

Índice de Estándares

3.MD.D.8	146	4.NF.B.4	87, 88
3.NBT.A.1	18, 19	4.NF.C.5	6, 96, 97
3.NBT.A.2	14, 31, 32, 33, 34	4.NF.C.6	6, 96, 97
3.NBT.A.3	15, 45, 62	4.NF.C.7	9
3.NF.A.1	74, 75, 76	4.OA.A.1	12, 41, 42
3.NF.A.2	75, 76, 78	4.OA.A.2	50
3.NF.A.3	75, 78, 79, 80	4.OA.A.3	29, 58
3.OA.A.1	12, 38, 39, 40, 41,	4.OA.B.4	62, 63, 65, 66
	44, 63	4.OA.C.5	109
3.OA.A.2	12, 38, 39, 40, 50		
3.OA.A.3	40, 41, 50		
3.OA.A.4	39, 40, 41, 50		

QUINTO GRADO

5.G.A.1	116, 117
5.G.A.2	118
5.G.B.3	122, 123, 124, 125, 126, 128, 129, 131
5.G.B.4	122, 123, 124, 125, 128, 129, 130, 131, 132
5.MD.A.1	140, 141, 142
5.MD.B.2	157
5.MD.C.3	150
5.MD.C.4	150
5.MD.C.5	150, 151
5.NBT.A.1	6, 7, 42, 97
5.NBT.A.2	45
5.NBT.A.3	6, 7, 9
5.NBT.A.4	20
5.NBT.B.5	48
5.NBT.B.6	15, 39, 50, 51, 52, 54
5.NBT.B.7	15, 36, 49, 55
5.NF.A.1	79, 84, 85
5.NF.A.2	86
5.NF.B.3	56, 57, 92
5.NF.B.4	88, 89, 90, 147
5.NF.B.5	42, 89
5.NF.B.6	87, 88, 89, 90, 91
5.NF.B.7	87, 92
5.OA.A.1	12, 16
5.OA.A.2	107
5.OA.B.3	109, 117, 119

3.OA.B.5	15, 44, 45, 46
3.OA.B.6	39
3.OA.C.7	39, 43
3.OA.D.8	18, 29, 58
3.OA.D.9	43, 61

CUARTO GRADO

AZ.4.OA.A.3.1	159
4.G.A.1	123, 125
4.G.A.2	123, 125, 130, 131, 132
4.G.A.3	124
4.MD.A.1	140, 141
4.MD.A.2	58, 87, 139
4.MD.A.3	146
4.MD.A.4	50
4.MD.B.4	157
4.MD.C.5	126
4.MD.C.6	127
4.MD.C.7	127
4.NBT.A.1	42, 45
4.NBT.A.2	4, 5
4.NBT.A.3	8, 18, 19
4.NBT.B.4	31, 35, 47
4.NBT.B.5	15, 46
4.NBT.B.6	15, 50, 51, 52, 54
4.NBT.B.7	14
4.NF.A.1	79
4.NF.A.2	21, 81, 82
4.NF.B.3	76, 84, 85
4.NF.B.3b	77
4.NF.B.3d	86

SEXTO GRADO

Índice de Temas

El Compromiso de Rodel con Matemáticas

La Rodel Foundation of Arizona está comprometida a mejorar el sistema de educación pública de Arizona desde pre-kindergarten hasta el grado 12 para que sea reconocido como uno de los mejores sistemas de educación del país para el año 2020. Enfocamos nuestra atención en las matemáticas porque **sabemos que los estudiantes que tienen buen desempeño en matemáticas tienden a ser exitosos en general.**

Si usted puede ayudar a su estudiante a dominar los fundamentos de las matemáticas, él o ella tendrá la base para ser exitoso a un nivel más alto y tener confianza al enfrentarse a la resolución de problemas de la vida real. Puede ser tentador desestimar las matemáticas porque cree que nunca las va a usar. Nada podría estar más alejado de la verdad. **Usamos las matemáticas todo el día, todos los días**: desde contar el cambio, calcular cuánta propina vamos a dar, saber cuántas millas puede avanzar su automóvil por cada galón de gasolina, calcular cuánto le tomará llegar a un lugar según la distancia, y más. No hay forma de escapar a las matemáticas, son una herramienta útil y esencial para nuestra vida diaria. Ser bueno en matemáticas también abre las puertas a las carreras de vanguardia en ciencias, ingeniería y tecnología.

¡Así que, gracias por ayudar! Quizás hasta pueda darse cuenta que disfruta la confianza que da el dominio de las matemáticas. Es un tiempo bien invertido para usted y su estudiante. **No lo olvide, ¡el verdadero secreto para el éxito es el entusiasmo!**

Agradecimientos

Además del generoso financiamiento de **Helios Education Foundation**, deseamos reconocer el trabajo de algunos grupos y personas que hicieron que esta guía fuera posible:

Beaver Creek School, Echo Mountain
Primary School, Eloy Intermediate School
and Joseph Zito Elementary School.

Katherine Shattuck Basham, Chryste Berda, Charmaine
Bolden, Jeanette Collins, Andrea Dunne, Jennifer Foley, Megan
Frankiewicz, Roseanna Gonzales, Vicki Johnson, Sylvia Mejia,
Dr. Kimberly Rimbey, Jamie Robarge, and Shari Stagner.

El personal de Rodel.

También nos gustaría reconocer a **todos los líderes, maestros, estudiantes y familias de las escuelas y los distritos que están trabajando incansablemente para enseñar y aprender matemáticas.** Esta guía fue creada para ustedes y esperamos que la encuentren útil en su continua exploración de la resolución de problemas.